くはく【独白】

① 芝居で、登場人物が心中の思いなどを観客に知らせ
るために、相手なしで、ひとりでせりふを言うこと。また、
そのせりふ。ひとりぜりふ。モノローグ。
② 転じて、ひとりごとを言うこと。また、そのひとりごと。

精選版 日本国語大辞典より)

白／モノローグ」が発されるまでの過程、そしてその場
こ目を向けたい。

ターネット動画が物心ついたときにはもう既にあった世代
テレビに対して持っている印象というと「映像が途中から始
り、「画面の中の人と目が合わ」ず、「自分に話しかけてく
ない」、そういう類のものだという。映像にまつわる原体験
圧倒的にテレビである世代の自分は「違和感をもつのはそ
んだ」と目から鱗な一方で、ああ今自分たちって自分宛
ベクトルのメッセージを避けて生きるのが難しいんだ、とい
ためての気づきがある。視界に入る映像や広告や音声や
コンシェルジュ、みなすさまじい頻度で私に話しかけてくる。
けどそのどれもが知らない相手なんです。

もう相当前のことに思えるけれど、個人間のメッセージ
面のUIが、縦に連なるフキダシの形式になっているのを
めて見たときのことを思い返す。これは地味にすごい発明
は、という静かな衝撃。何に驚かされたかというと、返信
あまり億劫じゃないということ。逆にどうして今までこれじゃ
かったのか。まもなく人類はその画面配置を大層気に入り、
こ戻る気配は今のところ特にない。相手の姿が見えない
態で言葉を生成すること、これは結局、それなりに忍耐
必要とすることだったんだと思う(しんどかったことというのは、大
つも事後的に実感が湧いてくる)。

クトルを孕んだ言葉こそがスタンダードである今の世の中
敢えて発される「誰に向けるわけでもない言葉」の在り処
う少し探りたい。「あなた」に向けた／特別な／親しみを
めて／贈り物のように発される、そういう言葉の対極にあ
宙に浮いたままの、それでもなぜか絶えず発されつづ
ている言葉が立ち上がる場所を。

宛先が明確に定められていないからこそ生まれる言葉の豊かさというものはおそらく明確にあって、その存在によって観る人を惹きつけている作品にここ数年の間にいくつも出会った。「誰も見ることはないけど 確かにここに存在してる」。冒頭の独り言のようなナレーションを除いて、以降はほとんど会話(ダイアローグ)の妙がつながれ進んでいく映画。あるエリアで働く人々と、彼／彼女たちが語る生活の手記のような密やかな言葉だけで上映時間のほとんどが構成されるパフォーマンス。特定のもの・ことを触媒とした記憶と語りが群れをなし、次第に別のものが立ち上がってくるドキュメンタリー。発語そのものに伴う歓びを教えてくれる詩の言葉と、それを書き残した当人を原作として作られる演劇。

独白／モノローグの言葉は、目の前の人がまさかそんなことを考えていたのかと、第三者の勝手な想像を裏切り、返り討ちにする力すら孕んだ存在でもある。「世界の解像度を上げてくれる」なんて受け身の言葉を使うのは少し憚られるが、独白の言葉は“実際に在る”ものに対する自分たちの許容の範囲を、密かに広げてくれる存在でもある。

「誰も見ることはないけど、確かにここに存在してる」言葉と、それを発する人々。それがどんな場所から、どんな瞬間に表出するのか。いくつかの作品の中にあるその過程を、本書では探っていきたいと思います。

2022年10月　後藤知佳［「MAKING」編集］

CONTENTS

INTERVIEW

COLUMN

K2 Archives

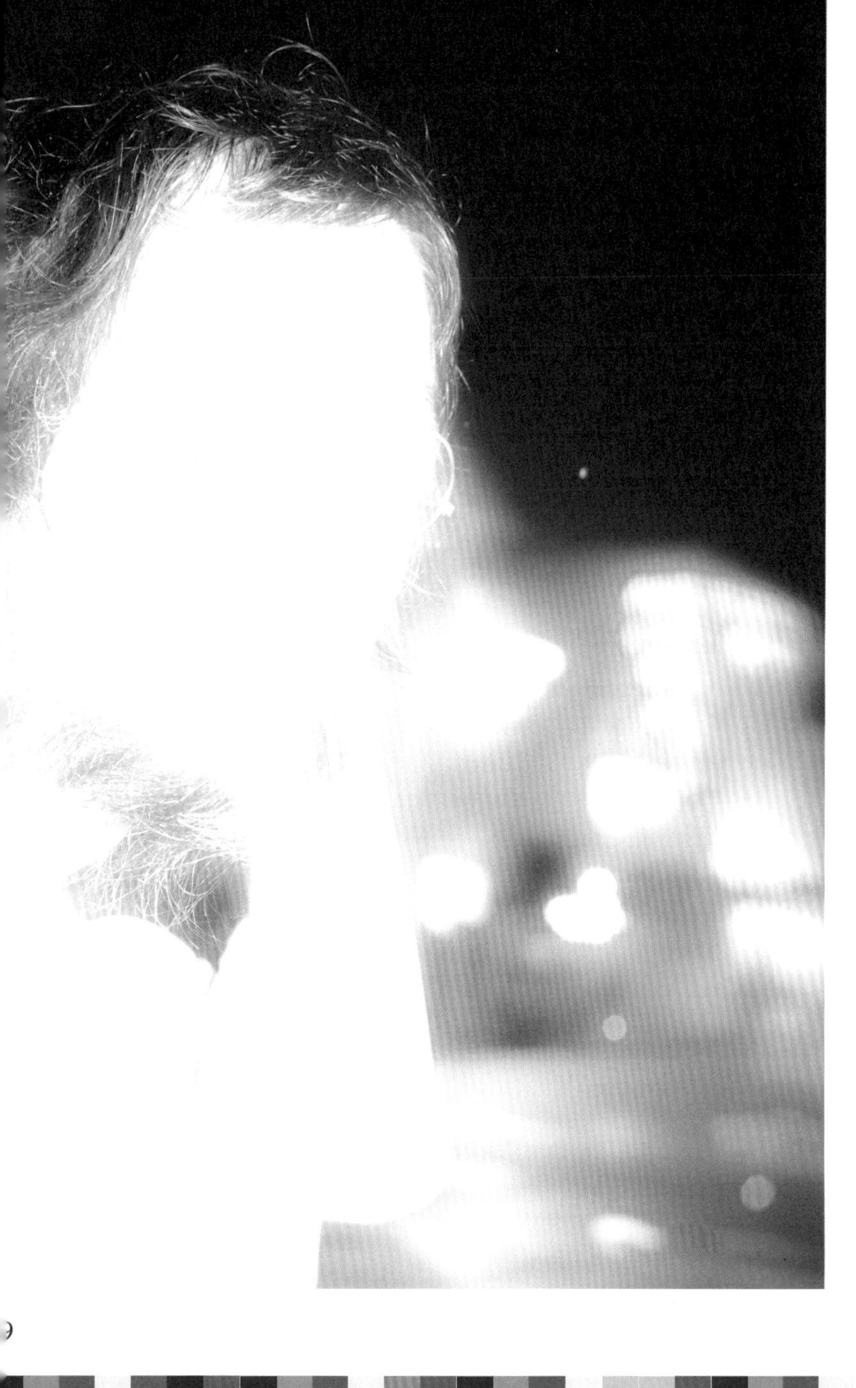

INTERVIEW

RIKIYA IMAIZUMI

細かなこだわりと、
大いなる迷いの渦中にいる

Wanderer in the great
whirlpool
with meticulous attention
to details

Interview

細かなこだわりと、大いなる迷いの渦中にいる

今泉力哉［映画監督］

「誰も見ることはないけど 確かにここに存在してる」―そんなナレーションとともに開幕する『街の上で』(2021)変化していく街や惹かれてしまう横顔、まっすぐで可笑な人々、そして「あったけどなくなってしまったもの」に対てのまなざしを描いた映画だ。それぞれのキャラクター誰かを見るとき、そこに幾重にも想像力を働かせることできる。あの人は今、何を考えているのだろうと。そうし心地いい空気に飲み込まれていく瞬間を求めて、今泉哉監督の映画を観に行く。
原作モノやNetflix製作映画なども含め、映画作りの規をどんどん拡大しながら、止まることなく作品を生み出しけている今泉監督には、たとえ現場が変わっても失わすいる数多のこだわりがある。それと同時に、変化に際しさまざまな迷いに直面しているともいう。その渦中にいるの人は今、どんなことを考えながら映画を作っているのろう。

Interview, Text: Kohei Hara

知っている場所、興味のある人

―――『街の上で』の撮影後も下北沢にはよく来られてると思いますが、街の様子は変わっていますか？

今泉力哉(以下, *i*)　ちょいちょい来てるのでそんなに化がわからないですね。『街の上で』を撮ってるとき(201夏)が一番変わりつつあるタイミングだったんで。決まっところしか行ってないからなぁ。

―――どのあたりが行きつけなんですか？

i　「山角」っていう定食屋で fig.1 ハムエッグ定食とビールをずっと食ってます。昼だろうが夜だろうが。

―――『街の上で』に出てくるバー「水蓮」さんは休業中

下北沢駅前広場のすぐ脇の居酒屋、食堂「山角（さんかく）」前で

fig.2 『街の上で』より ©「街の上で」フィルムパートナーズ

ようですね。

i 　マスターが体調を崩しているらしくて少し心配で
その二つと、あとは「にしんば」か。青とイハが日本酒を
むところ。にしんばは誰かと行くことが多いかな。新しいと
ろを全然開拓してないですねぇ。

———改めて振り返ってみて、『街の上で』fig.2 の撮影
には下北沢という街をどう映そうと思っていましたか。

i 　いつもは部屋の中ばっかり撮っているから、街が
題だといっても「外で何を撮ればいいんだ？」って不安でし
例えば、その土地にゆかりのない監督が地方の有名な
光地を舞台に撮る映画ってあると思うんですけど、下北
でそういうことをしても仕方ないと思って。だから基本的
は自分がもともと知ってる場所で撮ることにしたんです。

———下北沢を、ある種神聖視する視点というより
生活圏内にある身近なものとして撮ったということですか

i 　そうですね、でもどっちの視点もあります。もとも
は田舎出身だから単純に憧れの場所としてあって、上
してから徐々に下北沢の友達の家に泊まりに行ったり夜
くまで飲んだりするようになって知っていった部分もある。
画にはどちらの視点の人も登場させていた気がしますね

———今日も下北沢の駅前で「お笑いのフリーライブや
てます！」という声を浴びてここに来ましたが、下北沢のこ
した余剰のある雰囲気と、絶対的に豊かで空虚な今泉
画の空気感は、やはりとびきりの相性のよさを感じます。

i 　でも、めちゃめちゃ怖かったですけどね。漫画に
ろ映画にしろ、下北沢を舞台にしている作品があまりに
たくさんあるし、カルチャーの街だって言われている場所
撮るのって下手したらスベる可能性もある。「下北沢で撮
た映画」とはあんまり宣伝してなくて、予告とかでも一文
も出てこないんです。それもあって、京都のミニシアター
「出町座」で上映したときも、あそこも商店街の中にあっ
りするから、「このへんの話みたい」って言ってくれたお
さんもいて。あの映画の舞台が、下北沢だけではなくみ
なが住んでいるそれぞれの街として見えてもいいかな
思っていたんで、それは嬉しかったです。

——確かに、今泉映画の「場所」は匿名性がありますね。例えば東京タワーとか、そういうわかりやすい建物がてこないからかもしれません。

東京で撮るにしても地方で撮るにしても、そのため行く場所じゃなくてもともと馴染みがある場所で作った方豊かになるとは思います。それはキャスティングも一緒で。の人にあんまり興味がなくて初めましての状態だと、どうっていいかわからないということが起きることがあります。

分の中の正解にどこまでこだわるか

——『街の上で』は2019年10月に下北沢映画祭で初映されましたが、映画はその2日前に完成したとパンフットに書いてありました。そんなことってあるんですか？

ないです(笑)。ほんとはダメです。でもスケジュールに仕方なかったかな。撮ったのが7月で上映が10月だっので、全然時間がなかったですね。あと、音をモノラル録ってたんですが、北沢タウンホールがステレオでしか映できなくて。そういう直しもしていてギリギリになっていした。

——2日前は特殊だとしても、映画には必ず締切がありすよね。そうした状況のなかで生まれる映画について、成したときに「これで完璧だ」と思っているのか、「まだ直る」という途中の感覚があるのかが気になります。

今も1本仕上げの段階の映画があって。ほぼ完成てたんですけど、一か所だけ「これはやばい」ってところ昨日気づいちゃって。プロデューサーになんとか修正でき いか相談してるんです。もうこれで終わりっていうタイミンだったんで、頭抱えてたけど……。詳しくは言えないでけど、役者さんの見え方が良くない感じになってしまってて。

——それは観客が気づくくらいのものですか……？

ほかのスタッフは誰も気づかなかったけど、お客さは絶対気づくと思います。最終段階になってもそういうことあるし、「もう完璧です！」みたいな状態にいけることってなかもしれないですね。永遠になっちゃうかなって。もちろん、締切に合わせて満足できるところまでは持っていきますが。

——ギリギリまで練り上げていくと。

i　ただ、最近は自分の目を信用できなくなっていて。例えば、役者の顔色が悪く見えるからと言って修正してもらっても、カメラマンやほかのスタッフは元の方がいいと思ってたりすることがあるんです。それで結局戻すこともあるし。なんかもう、自分の目とみんなの目が同じ色を見ているかどうかもわからなくて。どこまで自分の意見を押し通していいのか難しいです。

——それは結構、細部の話ですよね。

i　めっちゃ細部ですね。役者まわりのことには一番気をつけてます。顔色が悪く見えるとか芝居が良く見えなくなる可能性があれば、誰も気づかないと言われても直したい。お客さんの中でも気づく人は気づくから、自分で気づいているところは直さないとなって思います。

——役者さんは編集に立ち会うことができないから、その分慎重になる側面もありますか。

i　そうですね。それで言うと、役者だけじゃなくて録音や音響のスタッフもそうだと思います。ある作品の編集段階でプロデューサーと揉めたことがあって、自分の意見を貫き通したいものの、心が折れそうになる瞬間もあったんです。色の話もそうですけど、「正解」って一個ではないじゃないですか。だから相手の意見を受け入れてそっちの正解を突き詰めることもできるわけで。それで、俺が妥協じゃないけど「もうこれでいいかもしれない」と思った時期があったんです。そんなときに、自作のほとんどに参加してもらっているスタッフと別の現場で会ってその話をしたら、「映画は監督だけのものじゃないんです。俺らのものでもあるんですから、納得行くまでとことん戦ってください」って言われて。確かにそうだよなと反省しました。『ハケンアニメ!』(吉野耕平監督、2022)という映画でも、「監督と同じくらいスタッフもその作品に思い入れがある」みたいなセリフを尾野真千子さんが発していてハッとしたんですけど。

——ある意味、スタッフや役者たちの思いも監督に乗っかっている。

i　だから、とことんまでこだわらないといけないし、でも自分だけのものじゃないのもわかるし。完成間近の仕上げの段階までいくと、自分のわがままを通して気になるところは潰していかないといけないとは思います。

入念な準備とリアリティの狭間に立つ

――――撮影の現場でも葛藤する場面はありますか。

i　最近は、現場に入る前に芝居を詰めた方がいいのかどうかをすごく迷っています。濱口(竜介)さんって、撮影に入る前に入念に本読みやリハーサルをするって言うじゃないですか。松居大悟[※1]とかもそう。撮影スタッフがいなくてもできるわけだから、現場に入る前に芝居はある程度固めておいて、現場では照明やカメラワークに集中する。そういう方法を取っているって松居さんから前に聞いたときに、俺は逆に「絶対に現場でしか役者の芝居を見たくない」と思っちゃって。例えばリハーサルでも、現場とまったく同じ机・椅子や衣装を用意できるならいいけど、それは難しい。現場に行けば物も風景も全部あるわけだから、何もない空間で想像して芝居してもらうよりもよっぽど感情を作りやすいだろうと。だから事前の本読みではテンションがどんなものかを見るくらいで、あとは全部現場でいいって思ってたんだけど……。

――――心境に変化が出てきたのですね。

i　この間、松居さんとまたそのことについて話す機会があって。「松居さんは先に芝居を固めるから現場での遊びが足りない気がする」みたいな指摘をしたときに「いや、それは役者を舐めてる」と言われて。先に詰めておいても、役者は現場でさらにその状態からどんどんプラスで変えていくし、いいことしかないって。ちょうど最近の現場で、役者の芝居に時間がかかってスケジュール通りに撮りきれないみたいなことが結構起きていたので、事前にある程度固める必要があるのかもしれないと心が揺れているんです。スタッフも楽になるし、それを求められているとは思うんですけど、でも先に詰めるということに全然興味がなくて……。これは今一番迷っている課題です。

――――今泉監督は現場で新鮮な芝居を見たいという想いが強いのですね。

i　何回も芝居をすることで慣れてしまうのが怖く
稽古場の段階で「これでOK」という芝居を見た後、現
でまた同じ芝居を見ても何もワクワクしない、って思っちゃ
あと、自分が求めてるリアリティとか生っぽさみたいなも
は、濱口さんとか松居さんの映画で求められている芝居
違う気もする。自分がやってるようなことを保てればいい
ですけどね。一回、濱口さんや松居さんの現場に最初
ら最後まで張り付いて学びたいくらいです。方法論を言
で聞いているだけでは、実際どういうことが起きるのか
からないので。

内面とそこから発される言葉が違うからこそ

――――作品の中のモノローグ(独白)の機能についてお
を伺いたいと思います。今泉映画においてモノローグや
レーションは「ここぞ」という場面で使われていると思いま
が、何か意識していることはありますか。

i　モノローグもナレーションも、下手すると説明的
なっちゃうから、使い方が難しいと思います。「本当の気
ちを観客に伝える」っていうことだと思うんですけど、使
方を間違えないようにしないといけないし、それだけは
画でやっちゃいけないことだったりもすると思うんです。
説とかもそうですけど、心の中で思っていることと言葉に
ていることが違うからこそ豊かな会話劇が生まれる部分
あって。

――――ナレーションを使うことは極力避けていますか。

i　可能なら避けたいですね。でも、使い方にもよる
もしれない。「こういうナレーションの使い方があるんだ
びっくりした作品もいくつかあって。ひとつは、冨永(昌敬
んの『VICUNAS』(2002)と『亀虫』(2003)という初期の
画。この映画のナレーションは、ただ喋っているだけじゃ
くて音楽みたいにリズムがあるんです。森田芳光監督の
画から影響を受けているらしいのですが。ナレーションっ
説明になっちゃうと思ってたけど、こういう遊び方もある
かと驚きました。発見であり、発明だなあと。もうひとつは
ン・サンスの映画です。ホン・サンスは、映画の冒頭を
レーションから始めることがあって。そこで主人公が置か

うがい
マスクの着用

fig.3 『愛がなんだ』より ©2019映画「愛がなんだ」製作委員会

ている状況を全部説明してしまうんですね。でもそれは
る種の省略でもあると思って。時間をかけてそこまでの成
行きを映像で描くのではなく、描きたいところから始める
めの潔い方法だと思います。あと、ゴダールの『はなれ
なれに』(1964)とかロメールの『モンソーのパン屋の女
子』(1963)もナレーションがベースだけど、あれも日記調
いうか、文学的な部分があるから、ただの説明には聞
えないんですよね。

———今泉映画のなかでも、『愛がなんだ』(2018) fig.3
比較的ナレーションが多いイメージでした。マモちゃんと
緒に動物園でゾウを見たときの「33歳でゾウの飼育員に
ると言ったマモちゃんの、33歳以降の未来には私も含ま
ているのだと、なぜかそのとき強く思って、そしたらその
来は何もかもが完璧すぎて、自然と泣いてしまった」とか。

i 『愛がなんだ』はたくさんありましたね。なくすかど
かの迷いも最初はあったんですけど、あれに関しては角
光代さんの小説の言葉が魅力的すぎて。さっきのホン・
ンス理論じゃないけど、それを画で説明しようとしたら時
がかかるなと思ったんです。挙げてもらったそのナレーシ
ンのシーンも、テルコは仕事を辞めて苦しいことになって
のに、マモちゃんは能天気に夢の話をしてる。そのこと
対してテルコが悲しい方の涙を流したと捉えてもおかしく
いところを、まさかの幸せを噛み締めるような涙で。それ
て予想外すぎる感情だから……テルコのこの不気味さ
ちゃんと説明しちゃっていいのかなと思ったんです。一方
「『愛がなんだ』は今泉映画史上、説明が一番多い」っ
いう感想もありました。その観客には、説明しなくて伝わ
感情があったんだと思います。『愛がなんだ』があれほどヒ
トしたのはわかりやすいナレーションのおかげだった部分
あるけど、ヒットさせるためにそれを毎回やろうとは思っ
なくて。『街の上で』は極力ナレーションを使わずに作ろう
意識していました。

秘密を共有することの特別さ

———『街の上で』には、ある秘密をあけすけに告白す
警察官が登場しますが、基本的には心の中で思ってい
本当の感情や秘密って、簡単に人に話せるものではな

うな気がします。それは先ほどの、映画で本当の気持ち
伝えるのはタブーだという話でもあると思うのですが。

あの警察官の吐露は、聞き手は一応いるものの、
白ではなく独白みたいですよね。悩みを聞いてほしいと
うよりは、姪っ子のことが好きだということを誰かに知らし
たいんでしょう。秘密の共有みたいなことなんだけど。確
に、本当の気持ちを言うって難しいです。秘密の話は今
扱いたい題材のひとつでもあります。前に短編小説で書
たことがあるんですけど、例えばセックスとか身体の関
に発展するよりも、誰かと秘密を共有することの方が親
度は高いんじゃないかと思ったことがあって。限られた人
しか言っていない秘密を知ったときの喜びって特別なん
ゃないかなと。それが親しい人だから言えるときと、付き
いがないからこそ言えるときと両方あると思うけど。新作
『窓辺にて』(2022)でも、実はそういう題材を扱っていた
します。

——今泉監督ご自身は、誰かに本当の秘密を話すこと
ありますか。

一番コアなところにある秘密は話さないかもしれな
ですね。基本的に、やばいことも含めてあれこれいろん
人に話してるんですけど、だからこそ核は隠れていると
うか。Twitterは誰でも僕宛にDMが送れるように開放し
るので、秘密を話される側になることは結構あるんです
どね。

——作品に誘発されて自分の体験を「独白」してしまう
も、今泉映画の特徴のひとつかもしれませんね。(2022
)4〜6月のK2での特集上映の期間中には、今泉監督に
愛相談ができるティーチインのイベントも開催されました
※2、相談したら答えてくれそうだと思わせる、今泉作品
強度ってすごいです。

めちゃくちゃたくさん来るわけじゃないですけど、基
的に来た相談は無視しないですね、話すことが嫌いじゃ
いから。ただ、距離感だけは気をつけてます。「俺だけに
か話せない」みたいになっちゃったら、俺が何かの拍子
返せなくなったときに怖いので。相手にとって瞬間的な助
としてならいいかもしれないけど、持続的に話を聴ける
器なのかどうかは考える必要があるかな。

「これからの人」と一緒にやりたい

——原作があって、それを基にした映画を撮られること
が増えてきていますが、オリジナル脚本の作品とのバランス
を考えることもあるんでしょうか。

i　ゆくゆくはオリジナル作品の比率を増やしていけたら
いいな、という思いはありますね。原作モノも多くの刺激が
あって面白いんですけど、縛りの強さも感じていて。例えば、
小説とか漫画でしか成り立たない場所や設定を、制限があ
るなかでなんとか表現しないといけない場面とかもある。い
ろいろな季節を横断する作品を、1か月間しかない撮影期
間にすべて撮らないといけなかったり。オリジナル作品であ
れば最初から1か月の物語として脚本を書くことができるし、
もともとミニマムな題材を密度高く描く方が好きだから、それ
ができているオリジナル作品は面白いと言われることも多い。
将来的にはNetflixのような大きな規模でオリジナル作品を
撮るとか、あとは地上波の連ドラにもめちゃくちゃ興味ありま
す。月9で恋愛ものの復活とか。

——ぜひ見てみたいです。脚本と編集まで今泉さんが
担当している『サッドティー』(2014)、『退屈な日々にさような
らを』(2017)、『街の上で』などの作品は、とりわけ「今泉映
画」としての純度の高さを感じました。どこまで自分でやるの
かも迷う部分でしょうか。

i　原作モノの脚本は、自分でまとめようとするとどこを
取捨選択していいかわからなくなるので脚本家さんに頼ん
でるんですけど、いつか自分で挑戦してみたいという憧れも
あります。自分でうまく書くことができれば、それこそオリジナ
ルのような空気も出せる気はするので。編集に関しても、自
分でやろうとすると時間がすごくかかる。その働いた分のお
金もきちんともらえればいいんですけど、それは収入とも関
わってくる問題で……。あ、もちろん、脚本も編集もお任せ
することで良くなることも多いんですよ。その上で、もっと時
間をかけたいとは思うんですけどね。商業映画を撮るように
なって一番嫌だったのが、編集の期間が1か月ほどしか取
れないことでした。自主映画だと平気で3か月から半年くら

防
33

かけてやってたから。1〜2年かけて撮った映画を、なん
1か月で仕上げないといけないのか意味がわからないん
すけどね(笑)。なんなら一回離れている期間とかも欲しい
すし。
はいろんなことに迷ってます。これはあんまり人に言った
とはないんですけど、なんか、昔より演出力が落ちてる
がするんですよ。70〜80歳まで映画を撮り続ける監督も
るけど、自分にそれができるのかちょっとわからなくて。

——演出力が落ちているというのは……?

スタッフとキャストに頼りすぎてるかもな、と最近思っ
いて。芝居に関してもカット割りにしても、何も言わずに一
任せてみることを美としすぎていて、たまに俳優からもス
ッフからも「監督がやりたいことを言ってください」って言わ
るんです。これはやばいなと。
れはさっきの「オリジナルか、原作モノか」という話にも関
るかもしれない。オリジナルだったら自分で脚本を書いて
から、登場人物のゆるさやダメさ具合もある程度わかるし、
りたい画も想像できている。でも原作モノの場合は、俺
読解力が足りていない可能性も全然あったりするので、
のあたりの加減をスタッフに伝えるのが難しいんですよね。
金のこととかを度外視して理想だけを言えば、すでに有
な俳優を主役に迎えて作品を撮るよりは、「これからの
」を主役にして、その作品を糧にその人の名が売れてい
とか、そんな映画づくりに興味がありますね。その方がス
ジュールもある程度自由に組めるだろうし、作品に対する
チベーションも全員高いだろうし。『街の上で』みたいな
ークショップ映画もまたやりたい。そういうオリジナル映画
けで食えるようになれればいいんですけどね。*/

022年8月12日、カフェ ヴィエット アルコ(東京・下北沢)にて]

いまいずみ・りきや

1981年福島県生まれ。2010年『たまの映画』で商業監督デビュー。一筋縄ではいかない恋愛映画を撮り続けている。近年の作品に『愛がなんだ』(2019)、『アイネクライネナハトムジーク』(2019)、『mellow』(2020)、『his』(2020)、『あの頃。』(2021)、『街の上で』(2021)、『かそけきサンカヨウ』(2021)、『猫は逃げた』(2022)など。最新作『窓辺にて』(2022)と『ちひろさん』(2023)が公開待機中。

—

※1 ——映画監督。1985年生まれ。監督・脚本を手掛けた作品に「くれなずめ」(2021)、『ちょっと思い出しただけ』(2022)ほか。

※2 ——複数回にわたり開催されたティーチイン(トークイベント)では、20代を中心とした来場者たちからの今泉作品に関する質問のみならず、「上京してきたが、周囲の人に比べて将来に対する温度感が低いことに悩んでいる」、「恋人を作ると創作意欲は減ってしまうのか」、「ある異性との関係性に必ずしも名前をつけるべきなのか」といった創作の悩みや恋愛相談に至るまでプライベートな質問が絶え間なく寄せられ、異例の盛り上がりを見せた。

2F
コイン
下北沢
100
DyDo

INTERVIEW

MIDORI KURATA

「舞台上で今死ねたな」と
思うことは何か、そういうことを
出演者と話していった

What makes you think,
“I really have died on stage
right at this very moment”?
That’s what we discussed
with the performers.

5

Interview

「舞台上で今死ねたな」と思うことは何か、そういうことを出演者と話していった

『今ここから、あなたのことが見える／見えない』をめぐって

倉田翠［演出家・振付家・ダンサー］

2022年5月、東京・丸の内の新国際ビルヂングの空き
フィスであるワンフロアを会場に、普段は京都を拠点に
出家・ダンサーとして活動する倉田翠によって演出・構
された作品『今ここから、あなたのことが見える／見え
い』が一日限りで上演された。公演は昼／夜の2回の
「『大手町・丸の内・有楽町で働く人たちとパフォーマ
ス？ ダンス？ 演劇？をつくるためのワークショップ』成果発
公演」というそのサブタイトルが示す通り、出演者は東
いや日本のビジネスの心臓部である大丸有エリアで働
人々からの公募によるものらしい。
当日会場で配布されたパンフレットにも、出演者募集の
に倉田によって綴られた手紙のような呼びかけのテキス
が掲載されている。それは「どこかの誰かが、この世界
もう少し生きて行こうかと思えるように、どうぞ力を貸して
ださい」で締めくくられていた。上演時間のほとんどを出
者たちのモノローグ、ひとり語りのようなもので占められ
本作は、どのようにして作られたのか。そしてそこで語ら
ていた言葉の正体は一体何なのか。公演を終えてから
2か月後、夏の有楽町で本作の再演準備のため上京中
倉田に尋ねた。

Interview, Text: Kenta Yamazaki

お金が動かないこと(=アート)を、お金を動かす職業の人たちがやるということ

———今回、有楽町というエリアで作品を作ることにな
た経緯を教えてください。

倉田翠(以下. *k*)　(まちづくりと)アートのコラボとか、め

ちゃ流行ってるじゃないですか。大手町のあたりもアート作品が結構設置されてたりするんですけど、もう少しビジネスマンとアーティストとの関係がフラットになってくるようなことができないか、取ってつけたみたいなことをやっていても意味がないんじゃないか——「有楽町アートアーバニズム(YAU)プログラム」実行委員会のそういう考えがまずあって、それを受けた一般社団法人ベンチのプロデューサーの武田知也さんからお声がけいただいて、私は京都から引っ張り出してもらいました。
公演の準備期間中、YAUに特別協賛として関わっている三菱地所さんに10日間出社させていただいたんです。私は関西拠点なので有楽町がどんなエリアか知らないし、三菱地所がどんな会社かもわかっていない状態だったので、そういう人たちがどういう仕事をしてるのかというのを体感させてもらう時間を設けてくださって。社内外20人以上の方とお話しさせてもらったり、今回の企画をやっている部署のめっちゃ上の方のお偉いさんの会議に出させてもらったり、誰か知らん人の送別会も出たり(笑)。
その中で、これまで「ビジネスマン」としてイメージしていたものがめっちゃ変わった。アートっていう、ビジネスのようにはお金が動かないことを、お金を動かす仕事をしている自分たちがやるってことはどういうことなんやってことを、立派な大人たちがわーわー討論してるっていうことに、私は結構感動した。別に私がその場にいるからとかじゃないんですよ。これまで、アートとビジネスとか言ってる人に対して、街にアート作品を置けばいいんかよみたいな、どこかで「けっ」とか思う気持ちがあったんです。でも今回この仕事をして、そういうイメージが一変しました。

———今回の出演者は「大手町・丸の内・有楽町で働く人たち」ということですが、どのように決めたんでしょうか？

k　出演者を公募するってなったときに、標的は漠然とこの辺のエリアの人たちっていうことやけど、どういうアクセスの仕方ができるだろうって考えて。単に「舞台しましょう、はい来てね」ってことじゃなくて、この何も知らない状態の私から投げかけたものに引っかかってくれる人とやりたいということで、そこで働く人たちに向けてメッセージを書いたんです。
それをあのあたりのエリアに配ってもらったら、意外とたくさんの応募があって。選ぶっていうことがすごい苦手やか
悩みました。書類では決めきれなくて、予定してなかっ
面談もしました。結果通知までの時間もない中でそれぞ
の応募者に連絡をして、「仕事終わりとかに15分だけで
いんでちょっと喋らしてください」とか言って。
どういう感じでこれに応募したのかみたいなことを聞い
その返事のテンションが低い人を選びました(笑)。自分
応募してるのに「いや別に」って感じで、なんか意思があ
て出したんちゃうん？ って聞いても「いやー、言葉にす
の苦手で」みたいな人。そういう人だけど何かが引っかか
て応募したんやというところで逆に出てもらいたいと思った
今となってはなんでその人がそういう感じだったのかとか
わかってて。例えばプライベートで気分が落ち込むこと
あったとか、大学のとき以上に楽しいことがないとか、あ
とあらゆる種類のライブに行ったりもしてるんだけど、な
か自分が埋まらない、みたいな。でも、「自分のことをうま
把握できてない方が普通であって、『こういうことがやり
いです』みたいなの言える方が本当はおかしいんや
ら」って、そういう感じで他愛もない話をして決めました。
私を知っている人も結構いて、もちろん舞台関係の方か
の応募もあったんですけど、今回はそういう人は基本的
は選ばなかった。舞台をやっている人で選んだのはひと
だけ。演劇をするためにテレオペのアルバイトで有楽町
たりで働いてる人なんですけど、「ここは自分は背中を丸
して来る街」だと。演劇をやっているということがここで
堂々と言えない、エリートさんたちとは違う働き方をして
るって意識を持ってる人で、書いてくださった文章もとて
良かったので出ていただくことにしました。

———倉田さんの作品を観ていつも気になるのは、こ
をどうやって作ったんだろうということなんですけど、そう
て出演者が決まって、クリエイションは何をするところか
始まるんでしょうか？

k　(三菱)地所さんにセッティングしてもらった面談で
が面白いなと思った二人の社員の方にも出演してもらう
とにして、一般公募の方と合わせて、まずはそれぞれと
話しするっていうところから始めました。ひとり2回ずつぐ
い、zoomだったり対面だったり。基本1対1でずっと喋っ
るだけで、ある人は「セラピー」って呼んでました(笑)。1

時間ぐらいでその人の感じをキャッチしていくんですけど、
ちろん武装が強い人もいるし、それを剥がそうとは思わ
いんです。それはその人やから。でも、それぞれに違う
たちに、どういうふうに立ってもらおうか、どこを抽出しよ
かっていうことを考えながら、それぞれに話を聞いていき
した。
そういう対話をテクニックとしてやってるんじゃないかと思う
ちょっとげんなりしちゃうんですけど、本当に会話してるだ
。そうやって話してると「ここや」と思うところがあって、自
にこの人こうやっていったらいいだろう、みたいなんがわ
る気がするんです。もちろん正解かどうかは置いといて
……というか、それは判断できないんだけど。でもそこは
っちゃ丁寧にします。

———面談した中から選んだお二人はどういう方ですか？

ひとりは作中で踊ってた人で、彼は会社の顔みたい
人なんですよ。再演に向けて一昨日話してきたときも「忙し
ってゲボ出ちゃう」って言ってました(笑)。もともと大学でダン
部だったパリピみたいな感じに見える明るい人で、出演し
くれませんかって聞いたら、仕事が忙しいにもかかわらず
やりたいです」って言ってくれました。本当に忙しいから稽古
ほとんど来れなかってんけど、やる気はすごくあって、来
ら一生懸命。「仕事終わりに22時頃行きますけどそっから
まで大丈夫っす」みたいなそういうノリ。
うひとりは会社一腰が低いと言われている部長で、部下に
年下の人にも、私たちとの打ち上げでもそんな感じ。ここ
足りてるかなとかひとりになってないかなとか、そういう周
のことをすごい気にかけてくれる人。
でもこの人は喋った瞬間に何かが別格だと思ったんです。面
談させていただいたときに、そのときはまだ出演してもらうつ
りなんて全然なかったんですけど、急に弟さんの話をして
れたんです。中1のときに小6の弟が病気で死んだんだと。
は本当に大人からも好かれるし、勉強もできるしで典型的
よくできる子だったんですけど、自分は反対に暗くて友達
関係でもそんなニコニコできへん。ほんで死んだときに、もち
ん悲しかったけど、友達に「お前弟死んでよかったな」って
言われて、それは要するに出来のいい方の弟が死んだから
かったなってことなんですけど、そのときに初めてやっぱそ
見えてたんやって自覚したらしいんです。で、そのときに人生プランを決めたって言うんです。自分は
学歴社会みたいなことにすごい反発を持っているけど、で
も鬼のように勉強して、有名大学全部受かって蹴ってや
るって。そこから本当に勉強していいところに受かって、で
もそのまま受かったところに行っちゃったらしいんです。その
ことを彼は「ここで人生挫折してるんですよね」って言ってい
るんですよね。そのうえで超エリート街道、いい会社の部
長なんですよ。
自分が反発してきた学歴社会であるとか、エリートであると
か、そういうルートの中で成功してきて、仕事も好きなんで
すよね。やりがいを持ってやらしていただいてます、みたい
な。めっちゃ腰低いし言葉遣いは丁寧なんだけど、学歴な
んて糞食られえっていうことを言ったときに、その瞬間だけす
ごい暴力性を私が感じて、彼は揺らぎや複雑さみたいなも
のをちゃんと持ったまま大人になった人なんやなって思った。
それでこの人は絶対もうこれ逃したくないと思って、「あな
たは舞台に立つ資格があります」とかラブレターみたいなん
書いて。引き受けてくれるかな、どうかなって思ってたんや
けど、今となってはけっこう前のめりで参加してくれてたん
やと思う。再演が決まったときも、「私みたいな者が恐縮で
すけれども、今のところは予定は入っておりません」みたい
な、そういう感じで引き受けてくれました。

「この人たちがここに生きて死んでいく」という状態があるだけで

———そこで聴いた話をもとに、作品が組み立てられていく？

k　　そう。構成はめっちゃ細かいんです。私構成大好き
やから。例えば音楽かけるシーンだったら、どこからどこまで
喋ってください、どこで切り替わってくださいっていうのを秒
単位で時間指定してる。歌詞のここで誰出てとか、ここはマ
イク、ここは生声、このとき何して、とかも全部紙に書いて
fig.1。ただ、やってることは彼らから出たもので、私が決めた
セリフとかは一切ない。それぞれ私が思う「いいところ」が発
揮されやすい立ち方でいてもらって、段取りは私がつける
から、その中で課されてることをやってもらうという感じかな。
セラピー期間を経て、次にそれが具体的に作品化してい
くっていう、ここは大変。それまでは話を聴いてもらえるセラ

fig.1 シーンの順序・つながりや出演者の動き、BGMの入るポイント、
照明の演出など、時系列に沿って緻密に書き込まれた倉田による手書きの構成表

ピーやったわけやから。それが作品になっちゃうってとき
「これ何やらされてるの」っていうのがわかんない人もい
わかんなくてもできる人もいる。本当それぞれ。でも基
みんなめっちゃ頭の回転いいんですよ。私が何かこうい
ことやってほしいとか、こういうのどうかなって言ったこと
対しての反応が速い。
地所さんで20人くらいの人と面談したときに感動したの
「なんでこんな喋れるんだろう」ってことだったんです。20
前半の新入社員から65歳ぐらいの人までいたんですけ
これまでの作品作りでこんなに対話できたことないなって
うぐらい喋れて。それはそういうおしゃべりに対応できる
力を持ってらっしゃるってことなんですよね。関連イベント
トークセッションにも出てもらったんですけど、延々喋れ
この感覚は初めてで、「ここにいたんや」って思った。マ
で地所入りたいと思う。もうちょっと頭がよかったらなって
じですけど(笑)。
そういう意味でも、(参加者を)あのエリアに限定したの
めっちゃおもろかったと思う。このエリアの人たちの対極
いるような人たちと作品を作るみたいなことは割にある。
けど国を動かしているようなビジネスマンと作るってことは
かなかないですよね。でもこっち、めっちゃおもろかっ
得意分野じゃないやろうなと思っててんけど、今私大手
とか大好きやから(笑)。

――全体の構成はどうやって決まっていくんですか?

k　「これがお客さんにどう見えるか」っていうところ
もちろん考えるんやけど、作品全体として何かメッセージ
伝えようとかは思わないし、何かを表現もしない。
例えばダルクの人たちと作った作品※1もそうなんですけ
「この人たち頑張ってますよ」っていうことをやっちゃった
おしまい。逆も然りで、「こいつら最悪ですわ」ってことや
ちゃったらダメ。私は彼らの何かを表現することはできな
から、そういうふうに何かのメッセージにならないようにっ
ことは気をつけています。だけど最後に、お客さんにど
思いますかねっていうことは聞きたい、投げかけたいと
うんです。
ダルクの作品は、あるおっちゃんがテレビで奥さんとフォ
クダンスするみたいなやつを見て、自分も奥さんとフォー
ダンスしたいなって――それはもう何年もLINEに既読も

かない奥さんなんですけど――思うっていう話をして、私が観客に向かって相手のいないフォークダンスをしてる場面で終わる。例えばそれがどう見えますか、ということ。
今回の有楽町のやつも、何か作品としての結末があって終わったというよりは、それぞれの終わり方を考えてた。出演者のうちのひとりの、舞台上でDJしながら喋ってた彼があるとき「舞台上で死にたいなと思ったんですよね」って言ったわけ。ふーんって。でもそれってすごい大事なことやなと思って。日常でやっちゃったら本当に死ぬから。フィクションの中で自分を殺せる、死ねるっていうのは人が生きていく上で大事なんじゃないかなと思って。それで彼と「舞台上で今死ねたな」と思うことは何だろうね、みたいなことを話していった。舞台にはいろんな人がいて、やっぱり彼らを私が表現するとかはできない。わかんないから。ただ、こういう人たちがここに生きてて死んでいくんですよってことがあるだけで、結構それだけで私は感動できる。作品の全体っていつもそうかも。こういう、普段舞台に立ってない人と作る作品なんかは特にそう。

舞台の上で話される言葉

―――この『今ここから、あなたのことが見える／見えない』は再演が予定されているということですが、初演と同じ内容での再演になるんでしょうか？

k　実は出演者が二人増えるんですけど、それだけじゃなくて会場も全然違うし、同じことはできないというところもある。だから、新しい何かを展開するということではないんやけど、構成はやり直すことになるとは思います。
昨日、再演に向けた面談をひと通り終えたところなんです[fig.2]。初演のときに「公演の本番とL'Arc~en~Cielのライブが被っちゃってどうしよう」みたいなことを舞台で言ってた彼女なんかは「（再演のときに）私ラルクなくなっちゃったらどうしよう」とか言ってて。いや、あんたラルクだけじゃないやんって言ったんですけど。彼女はよさこいをやってて、舞台でもやらしたかったんです。だけど、よさこいやってた時期が最強で、それを捨てて東京へ出てきて、それを思い出すのがつらいって言ってたので、つらいならしなくていいよって言って。そんな彼女と2か月ぶりに会って、「なんかあんた元気そうになったな」みたいな話をして、今のメンタルやったらよさこいいけるんちゃう？　とか、そういうことを話したりしてました。
初演（2022年5月）のときは本当に時間がなかったこともあって、結局はわかりやすいパッケージ化をしちゃった部分があるなというのも反省点としてあるんです。例えば舞台で花を活けてた彼女は、すごくわかりやすく「お嬢様」としてパッケージされてる。もちろん、彼女が舞台で話してたことは全部彼女の言葉ではあるんです。めっちゃ頑固やしこだわりのある子なんやけど、でもまだそれが言語化できない。それでああいうかたちになったんやけど、彼女が持ってる震えとか揺らぎはもうちょっと違っていて、その奥に入るみたいなことができたらいいねという話もして。大きく何かを変えるというよりはそれぞれの中心にもうちょっと行けたらいいなと思ってます。

―――普段は舞台に立っているわけではない人たちが舞台の上で話す言葉は、その人自身の言葉ではあっても日常で話す言葉とは違いますし、かと言って俳優が喋るセリフとも違うように思います。舞台の上であの人たちがやっていること、あるいは倉田さんがあの人たちにやってもらっていることは、結局のところ何なんでしょうか。

k　「モノローグって思われてるやろな」っていうところは自覚的なんですけど、実はあんまりモノローグと思って喋ってもらってはいないんです。それはすごくフィクションに振った造りもんだという意味で。自分のことを語れる人なんてほぼいないんですよ。それこそセラピーみたいやけど、そこをまずは俯瞰していく。
私がダルクを最強やと思ってるのは、それをやってるからなんです。毎日、1日3回、自分の話を人前でしてる。言いっぱなし、聞きっぱなし、意見はしない、自分のことを言葉にする――そういうことを延々やってるんです。そりゃ上手くなりますやん。「はいじゃあこのテーマで喋って」って言ったら、ダルク歴が長ければ長いほどパーっと喋れる。それはダンスでいうとテクニックみたいなもんで、どの回路で脳を使えばっていうのがもうできてるわけ。ダルクに行ってみて「自分のことをこんなに他人のことみたいに俯瞰して喋れる人がいるんだ」というのにびっくりした。ダルクと地所って遠く離れてると思ってたんだけど、そういう自分のこと言語化できる力があるという意味ではめっちゃ似てるところがあった

みんな、本当のリアリティなんか求めてない

———倉田さんはご自身も出演されますよね。

k　私ひとりが「演出家です」ってこっち側にいるのが、私にとってはおこがましいというか態度でかいというか、「何様なんかな」みたいな感じがあるんです。(2022年)10月に東京芸術祭で再演する『捌く』(2017年、アトリエ劇研[京都]にて初演)は私は出てないんですけど、それは出演者がみんなもともと舞台やってる人だから許されると思ってる。でもそうではなく、舞台に立つことを仕事にしてない人たちを舞台の上に引っ張り上げるときに私も舞台に立つようにしてるのは、それが私にできる一番の「ごめんね」じゃないけど……。これも甘いんやけどな。それで許してもらえるとか思ってんなよってことはつねに思いながら、だけどそれしかできひんから。
今回の作品は、最後に(各出演者の普段の)仕事の肩書きがテロップで流れるんですけど、その並びで「演出家　倉田翠」って出るのがいいなと思ってた。それぞれの仕事があるように、この作品を作っている張本人であることが「演出家」という仕事として載ってるのがいいなって。

———舞台に立つ自分自身に対して、良さを引き出すみたいな演出をするのは難しいようにも思いますが……。

k　こないだまで一緒に作品やってた山田せつ子[※2]さんにも同じようなこと言われました。普段人にやってるみたいに自分のこと演出したらいいじゃない、自分のいいところとか、自分がこういう人間だって思うところを自分でピックアップしてみなさいよって。
自分に対してそれができないから、私、普段本当に適当に舞台に立つんですよ。いや、適当に立ってるつもりはないんやけど、なんか自分のことは言うのが恥ずかしいから、ちょっといつもスカしてるっていうかへらってしてるみたいなところがあって。それが自分の立たせ方やと思ってるし、それでいいんやけど。
せつ子さんには「翠ちゃんよく現実現実って言うけどさ、翠ちゃんの思ってる現実って何なの」みたいなことを言われたことがあって、そのときは「多分現実もフィクションみたいに適当に生きてるんじゃないすか」って答えました。どこかで現実を造りもんみたいに思ってるというか。でも、その部分が私のネックであり、ピックアップするべき部分だとも思ってて。現実、大事にしてんねんで。大事にしすぎてそうなってるのかもしれん。舞台に立ったときに、そこでは何かはっきりとリアリティを感じられるような気がするというか。何やかんや言いながら舞台を続けてるのは、多分そこに、私が日々生きてる現実以上に、うわって思う瞬間があるからだと思うんです。

———ソロ公演(2021年6月、d-倉庫[東京・日暮里]で上演)では舞台上でご自身の血を抜いてみせる場面もあって、適当というよりはむしろきわめてシリアスな印象を受けました。

k　関西でそれをやったときはみんなめっちゃ笑ったりしてたんだけど、東京でやったらマジでみんなドン引きしてて(笑)。
基本はソロはやらないんです。ひとりだと自分が誰なのかわからんなるやん。他人がいるから今のこれが私やなってジャッジできるんやけど、ひとりやとどれが私かもわからんし、動く動機もない。そういうときに、血抜いたらそれは本当かなと思うんです。ちょっと抜くだけでもサーッてなる、その感じは嘘じゃない。その本当のことを超えられるぐらいの状態になるところってのはどこなんだろうっていうことをやってたんやけど、マジで引いてたな……。
みんな、本当のリアリティなんか求めてないのよ。じゃあ求めてるリアリティって何なんだろうと考えると、舞台上にあるのは「私がピックアップしてくるリアリティ」であってもいいというか、そうであっても許されると思う。本当は全部これが芝居でもいい。そういう感覚は日常にもあるんです。
せつ子さんとやった作品の本番の日の朝に、「あいつ捕まったぞ」って知り合いから電話があったんですね。京都で仲良くしてた人が逮捕されて、もちろん、いろんなことがあって、キツいなとも悲しいなとも思ってるはずなんやけど、「こんなときに何してくれてんねん、早朝から(笑)」とも思って。
楽屋でせつ子さんに「本番前に全然関係ない話していいですか」って言って。「知り合いが捕まったらしいです」「え、何で捕まったの?」みたいな話をしてから、本番に向かいました。でもそれは、私たちにとってすごい自然で。舞台やってると、何か自分たちがすごく大事なことをやってるんじゃないかって勘違いしちゃうんです。でもそんなことない。だって捕まってんねん。私お金貸してるしな、みたいな。今やってる本番の外でいろんなことが起こってる。そういう感覚はい

つもちゃんと持っていたい。

本番の2日目かな、あるシーンで急に「もう二度と会わないんだろうな」と思ってなんか泣きそうになっちゃって。すぐ消えていきましたけど。

それって何かなって後から考えたら、舞台っていうのは日常のいろんな雑音みたいなものがゼロになってる状態やから、何かど真ん中の感情がカーンて立ち上がることがあるんですよね。現実に戻ると、たとえ悲しくても「あれどうすんねん」とか「腹立つ」とか、いろんな感情が付きまとってくるから、実際自分がどう思ってるかなんてわかんない。でも舞台上ではそういう瞬間があるっていうのはちょっと信じてる。私が舞台に立てると思ってる立ち方みたいなのは、そこの部分やと思う。*/

［2022年7月24日、タリーズコーヒープライムファイブ(東京・銀座)にて］

—

くらた・みどり

1987年三重県生まれ。京都造形芸術大学(現・京都芸術大学)映像・舞台芸術学科卒業。3歳よりクラシックバレエ、モダンバレエを始める。京都を中心に、演出家・振付家・ダンサーとして活動。作品ごとに自身や他者と向かい合い、そこに生じる事象を舞台構造を使ってフィクションとして立ち上がらせることで「ダンス」の可能性を探求している。2016年より、倉田とテクニカルスタッフのみの団体、akakilike(アカキライク)の主宰を務め、アクターとスタッフが対等な立ち位置で作品に関わることを目指し活動している。2018年度ロームシアター京都×京都芸術センター U35創造支援プログラム“KIPPU”選出。セゾン文化財団セゾン・フェローI。

作品情報

倉田翠 演出・構成

『今ここから、あなたのことが見える／見えない』

初演

日時：2022年5月22日(日)［全2公演］

会場：新国際ビル(東京都千代田区丸の内3-4-1)

出演：幾山靖代、石田悠哉、小川敦子、菊池結華、後藤正子、佐々木大輔、佐藤駿、津保綾乃、中田かおり、宮原朱琳、矢次純一郎／倉田翠

演出・構成：倉田翠｜舞台監督：佐藤恵｜照明：木藤歩

音響：中原楽(Luftzug)、稲荷森健｜演出助手：平澤直幸

制作：柴田聡子

プロデューサー：武田知也(bench)、藤井さゆり(bench)

宣伝写真：山本華

宣伝美術：加藤賢策(LABORATORIES)

主催：「有楽町アートアーバニズムプログラム」実行委員会(一般社団法人大手町・丸の内・有楽町地区まちづくり協議会、NPO法人大丸有エリアマネジメント協会)、一般社団法人ベンチ

助成：公益財団法人東京都歴史文化財団 アーツカウンシル東京｜企画制作：一般社団法人ベンチ

再演予定

日時：2022年11月23日(水・祝)〜25日(金)［全3公演(予定)］

会場：東京国際フォーラム ホールD7

主催：大丸有SDGs ACT5実行委員会、一般社団法人ベンチ｜特別協力：有楽町アートアーバニズムYAU

企画制作：一般社団法人ベンチ

—

※1 ——倉田が演出を担当するakakilikeの公演『眠るのがもったいないくらいに楽しいことをたくさん持って、夏の海がキラキラ輝くように、緑の庭に光あふれるように、永遠に続く気が狂いそうな晴天のように』。2019年、京都芸術センターにて初演。薬物依存症リハビリ施設「京都ダルク」のメンバー13名を迎えて制作された。

※2 ——ダンサー／コレオグラファー。笠井叡に即興舞踏を学んだのち独立し、198[illegible]年よりダンスカンパニー枇杷系を主宰。京都造形芸術大学(現：京都芸術大学)の映像・舞台芸術学科教授として2000〜11年にかけて教鞭を執り、倉田も学生として師事。2021〜22年には二人によるダンス公演「シロヤギトクロヤギ」「シロヤギトクロヤギト」がそれぞれ京都・東京で上演された。

g.2 秋の再演に向けた面談などのスケジュール表。多忙な数日間の合間を縫っての取材だった

INTERVIEW

FAIFAI

言葉を発する原始の嬉しさ、
みんなを内包する「わたし」

The primal joy of speech
and the "I" that
encompasses everyone

Interview

快快(FAIFAI)
言葉を発する原始の嬉しさ、
みんなを内包する「わたし」

『コーリングユー』の制作現場から

快快(FAIFAI)［劇団］

『ルイ・ルイ』(初演:2019)から3年、快快(FAIFAI)が新作公演で劇場に戻ってきた。録音された毒蝮三太夫の声による「ギブアップ・ザ・シアター!」のフレーズが鮮烈だった前作を経てメンバーが国内外の各地に拠点を移し、世界はパンデミック時代に突入。物理的に人を集めなければ成立しない演劇公演は実現のハードルが高まり、まさに「ギブアップ・ザ・シアター!」な状況が続いている。直前まで頓挫が懸念されていたという新作『コーリングユー』(2022年8月26日〜9月4日、KAAT 神奈川芸術劇場にて上演)は、快快メンバーの学生時代の恩師にして詩人／映像作家である鈴木志郎康(1935–2022[※1])その人を原作にしているという。ギリギリまでどうなるかわからない中で模索する現場の声を聞くため、約2週間後に公演初日を控えた快快のもとを訪ねた。

Interview, Text: Joki Hirooka

集団制作への態度

———新作『コーリングユー』は、誰かの作品を原作にする方針が先にあったのでしょうか?

野上絹代(以下. *n*)　まず(佐々木)文美ちゃんが原作の候補をいろいろ提案してくれて、ほかの人も案を出したりするうちに「なんとなく今回は原作モノでいく?」という流れになった感じかな。

大道寺梨乃(以下. *d*)　近松門左衛門の『女殺油地獄』とか読んだよね。

n　物語には別にフィットしてないのに、自分たちが育てた菜種油でただ「ヌルヌルする」シーンをメインに、とか

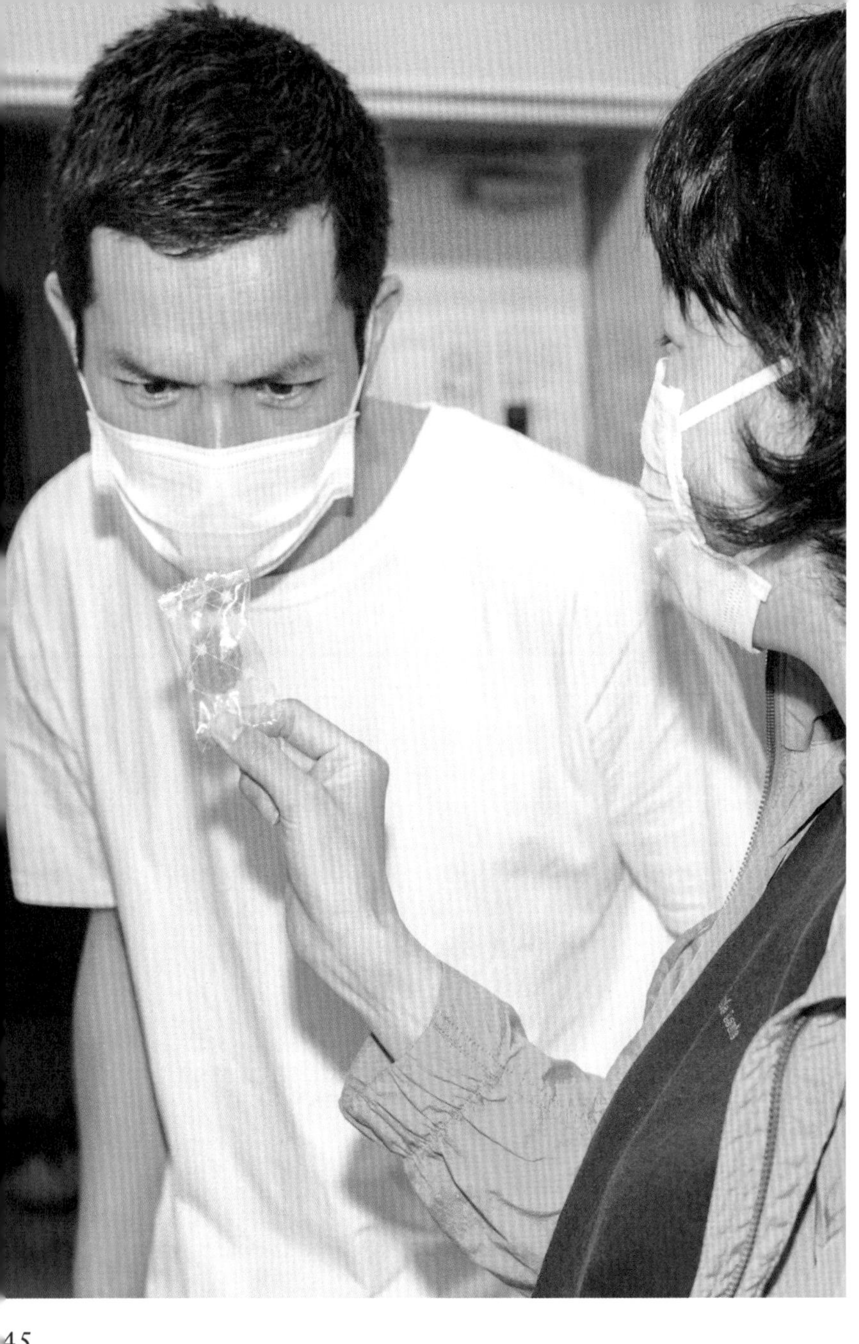

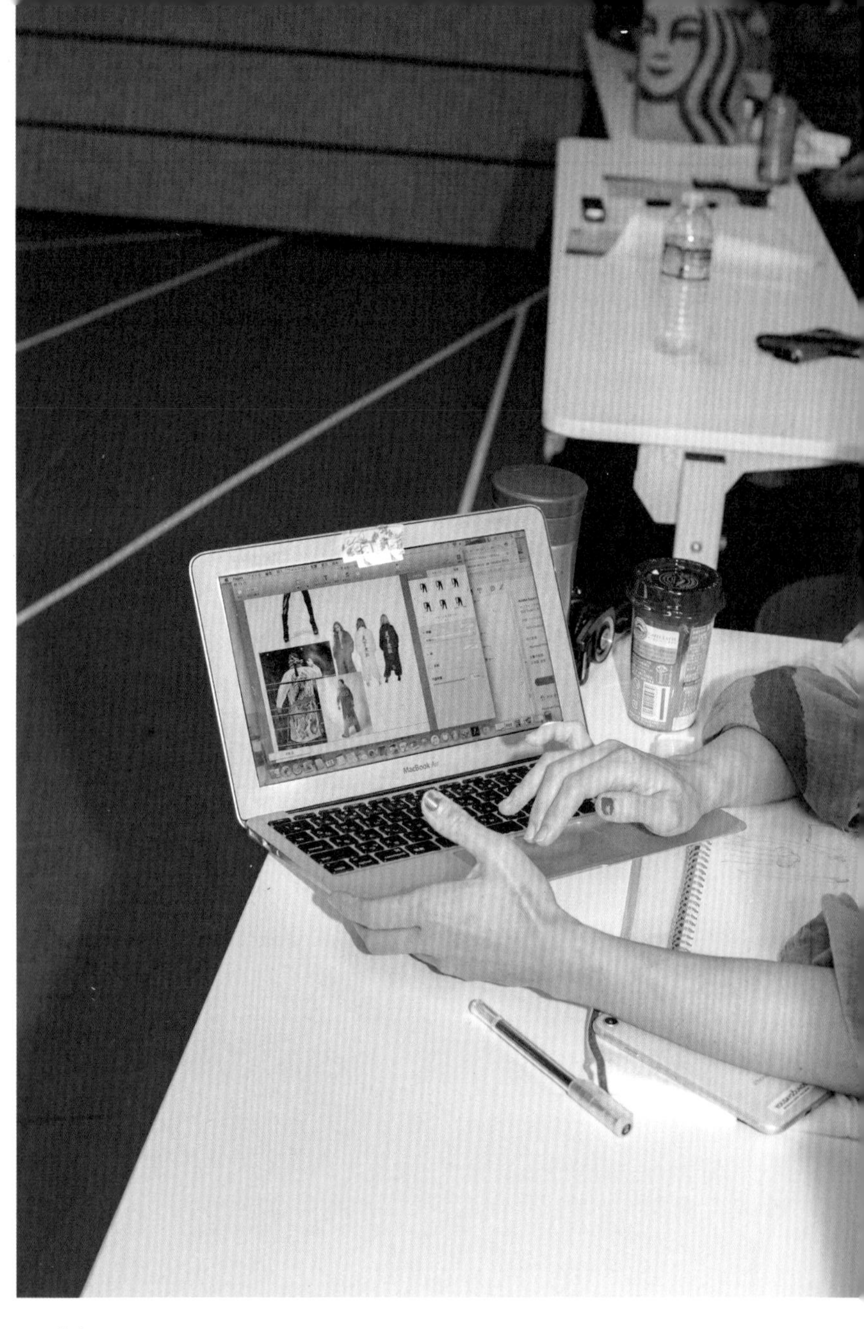

言って(笑)。千葉雅也の『マジックミラー』の案とかもあった。でも快快は原作モノをやっても結局別物になるので、どうせアダプテーションするなら志郎康さんの作品でやってみないかと。

d　文美ちゃんが「志郎康さんを扱うなら、うちらの創作態度を晒すことになる」って言ったのを、なるほどいいかもねって。

山崎皓司(以下. *y*)　それはずっと言ってたよね、集団制作っていう快快のあり方については。

n　でも、志郎康さんの言葉に対して「そうそう、うちらはこうやって作ってるよね」と思うことはあっても、あんまり「集団制作のあり方をこの作品で提示するぞ!」とはなってない気がする。

d　自分たちが志郎康さんからめちゃくちゃ影響を受けてることを話し合いの中で再確認して、「自然に自分を晒したり日常を深く考えたりしてきたけど、それでいいのか?」っていう気持ちも出していこうか、みたいな。

n　志郎康さんの本を実際に読んだりしたけど、どれかひとつ詩を選んでそれを原作にする感じにはならなさそうだなって期間が長かった。

北川陽子(以下. *k*)　志郎康さんが発明した「極私的」※2っていう言葉が原作かな。

y　それで言うと、俺は詩を作る志郎康さんの「ソウル(魂)」を原作にしたいな。志郎康さんは歳を重ねるごとにどんどん自分を晒していってるけど、「晒す」ってどういうことなんだろう?　と考えるとすごくつらい。歳のせいもあると思うけど、自分が今までと同じように演じたときに外からどう見えるかは結構気をつけてる。昔、小劇場で60歳くらいの俳優が「面白いでしょ?」みたいな感じでパンをいっぱい頬張るのを見て、つらくて笑えなかったんだよね。昔は面白かったかもしれないけど、今のあなたはおじさんだからなあって。

———『SHIBAHAMA』(初演:2010)のときは、舞台上で毎回気絶していましたよね。

y　今同じことをやったら「うっわ〜……」ってなる。本当に怖い。

n　若くても怖いよ、気絶って(笑)。誰もやれって言ってないのに。

y　自分で書いてる時点ではいけると思うアイデアでも、いざ稽古場に立って自分の身体でやろうとすると齟齬が生まれる。

d　昨日よんちゃん(北川)がインスタグラムに上げてた志郎康さんの写真fig.1は、めっちゃお尻出してたよね。

y　SPAC(静岡県舞台芸術センター。山崎が出演する地元の劇団)で、太鼓の代わりにお尻を出して叩いてみたら、「ちょっと1/100に味を薄めてください」って言われた(笑)。

———あの志郎康さんの写真は、今で言う自撮り写真ですね。確かに自撮りこそ「極私的」な気がします。舞台の原作にすることをご本人に伝えたとき、反応はどうでしたか?

n　息子さんに連絡を取ったら、本人がもうメールとかを見られなくなっちゃってるから、電話が唯一の連絡手段だと言われて。電話したら割といつもの調子で快諾してもらえたんだけど、いろいろ動き出してからまた電話したら見事に忘れてて(笑)。もう一回説明して、よんちゃんが書いたチラシの文章も電話越しに読み上げたんだよね。人間は文字が発明される前から声で詩を伝え合ってたっていう話があるけど、志郎康さんに文章を読み聞かせて伝える行為自体がよかった。

佐々木文美(以下. *s*)　ちょうど一昨日くらいに、電話越しに志郎康さんのモノマネの音声が流れる演出について考えてたんだけど、毒蝮さんの音声を流してた『ルイ・ルイ』に近づいてる気がした。

n　録音ってプライベートなものだよね。よんちゃんに今「モノマネやって」って言ってもやってくれないだろうけど、録音したものは嬉々として持ってきたりする(笑)。現実的に相手を舞台に呼べないという事情もあるけど、モノマネすることで志郎康さんを降臨させて共演してる、みたいな瞬間がある。まだ生きてるのに「降臨(コーリン)ユー」って。

d　今回、電話越しにテンテンコ(本作の音楽担当)ちゃん

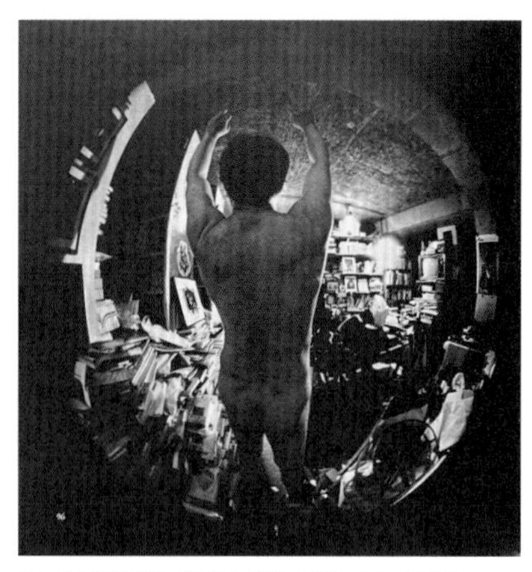

fig.1　鈴木志郎康『眉宇の半球 鈴木志郎康写真集』(MOLE、1995)より

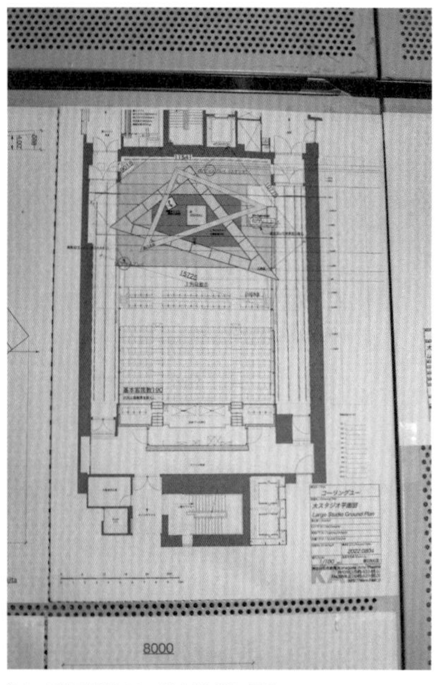

fig.2　大きな三角形をモチーフとした舞台美術の図面。
取材時はそれらのプランがちょうどまとまった直後のタイミングだった

が歌うみたいな演出もありそうだよね。

———テンテンコさんは『再生』(初演:2015／演出:岩井秀人)のときに役者として出演されたこともあります。今回音楽を依頼したのはどのような経緯でしたか?

s　　最初の頃は今回の作品を会議形式にするっていう設定があったんだよね。快快が会議をしてるところにテンコちゃんのゴリゴリの音楽が流れたらかっこいいなあと。

藤谷香子(以下.*f*)　なんなら、ギリギリまでタイトルが『快快の会議』だったよ。

n　　『劇場においでよ』っていう案もあった(笑)。

y　　俺は最後までそれを推してたけどね。でもまあ『コーリングユー』も「呼ぶ」っていう意味では同じことかって納得した。「それ以外に言いたいことないわ」って。

上演中に隕石が落ちてきても

———前作の公演の後に世界はコロナ禍に突入しましたが、その後はどのように活動を存続していましたか?

y　　俺は『ルイ・ルイ』が終わった後に部屋を引き払って、地元の静岡の掛川に帰って。

d　　私は『ルイ・ルイ』のときはもうイタリアのチェゼーナに引っ越してたけど、コロナ禍になってまったく日本に帰れなくなった。オンラインではたびたび集まってたけど、何か快快としての活動が具体的に進んでたかって言われるとなかなかね。

y　　稽古場の雰囲気で「いいね」って盛り上がったりするから、その空気はオンラインだとやっぱり共有できないよね。実際もう本番まであと2週間だけど、長い間みんなと離れてたのもあって、若干まだ人見知りしてる。自分が普段掛川で大事にしてる生活と、それを置いてここに来てる自分が乖離してて……もう「農業に振り切った方が世の中変えられるんじゃないか?」と考えたりもする。「小さな畑を持とう」ってみんなに思ってもらえるような表現がしたいわけでもないけど、何かを(表現活動を通して)伝えるのと、実質的に動いてちょっとずつ世の中を変えていくのと、どっちがいい

のかみたいなことを考え始めてる。

———『Koji Return』(2021年3月にYouTubeで公開された山崎のドキュメンタリー映像。北川陽子[快快]と林靖高[Chim↑Pom]がディレクターとして参加)で衝撃を受けた人も多かったと思います。「極私的」な映像と言えば、梨乃さんも個人で制作された日記映画『La mia quarantena ／わたしの隔離期間』(2021)、『夏には冬のことをすっかり忘れてしまう』(2022)を2年続けて発表しました。

d　『ルイ・ルイ』のときは、(当時の日本が)普段チェゼーナで自分が生きている世界と違いすぎて、作品に全然乗れないんじゃないかっていう心配があった。でも今回それがあんまりないのは、志郎康さんを真似して日記映画を作り始めて「自分という小さなものがそこにあるだけで、それはどこにいても変わらない。だから『その場にいる』ということをやるしかない」って思えたから。志郎康さんは「狭さに徹する」っていう言い方をしてて、うまく言えないけど「自分の中にいる」ってことなのかなあと。

s　私も『ルイ・ルイ』が終わって鹿児島に引っ越したんだけど、だいたい仕事でこっち(東京近郊)に出張してるからとにかく帰れなくて、鹿児島での生活が定着してない。「帰れる場所に引っ越したいなあ」って思ってる。鹿児島の自宅は空間として大好きだし、小6まで住んでた土地だから馴染みはあるけど、近くに友達がいなくて「社会」がない。自分がいるだけの、ただの空間。

d　私もチェゼーナに引っ越したばかりのとき、そんな感じだった。空間が広くて山もあるし野菜もうまい。何でもあるんだけど「社会」がない。働き始めたり子供が生まれて幼稚園に行かせたりするうちにその感覚は薄れてきたけど、それでも東京に帰ってくるとすごく「社会」があってびっくりする。

———舞台装置のプランはどんな感じになるのでしょうか。

s　快快は、みんなで集まらないとプランが描けないなって思う。志郎康さんが書いた快快の詩※3に「おいしい水が湧く泉」っていう言葉が出てくるから、その泉がある場所の現地人としてプランを立ててみた。(稽古場の床のテープで囲まれた領域を指して)ちょうどそこが「泉」なんだけど、本番のときは実際に水を入れる予定。「とがりんぼう、ウフフっちゃ。」っていう詩から連想して、でっかい三角形を使ってみたり。会場のKAATの大スタジオは長方形だから、円形だと収まりが悪いとはずっと思ってて。(舞台を囲むかたちで)3面を客席にしたらかっこいいし、三角形を重ねれば空間をフォローしているような、してないような感じにできるんじゃないかなと。

d　メインキャストが3人だから、そういう意味でも三角形はちょうどいいよね。

s　KAATではこれまで何回もやってるから、スタッフの人たちと連携しやすくて。舞台の機構も含めた「よくわからないけどやりたい」ことを、お客さんも入れた状態でどうすれば実現可能か相談できるのが嬉しい。当時芸術監督だった白井(晃)さんが、『ルイ・ルイ』のときに「危険なことを日本一安全にできる劇場にしたい」と言っていて。その安全性を担保するためには、普通にやるより厳しい面もあるんだけど。

y　「これやりたいです」って言ったときに頭ごなしに否定しないで、実現するにはどうすれば良いかって協力してくれるイメージがあるね。

———衣裳も毎回世界観にマッチしたものが用意されています。今回の構想は決まりましたか？

f　リハを見て、役者に何が着たいか質問して、そこから抽出したものを編集するのが快快での衣裳の作り方だから、今みたいな話を聞くと「そんなに何にもないところから？」って思う(笑)。(北川)陽子が出してきた「志郎康さんを原作にするうえで守るべきルール」がメンバーの間では共有されているんだけど、その中にある「『わたし』である」とか「日常を出す」というのがどういうことか何となくわかってきたから、衣裳の面ではそれがブレないように服を選んでいけばきっと大丈夫かな。あと、上演中に隕石が落ちてきたりして、役者も劇場の外に避難しなきゃいけなくなったときに「違和感はあっても恥ずかしくない服」っていうのはいつも思ってる。

d　え、そのまま逃げられる服ってこと？　それは考えてなかった(笑)。

f　こーじ(山崎)は、衣裳について「バカに見えたくな

い」って言ってた。

n　「この歳でそんなことしてかわいそう」と思われたくないっていうのはあると思う。

y　俳優って基本的に使われる立場だけど、一応自分で選んでそこに立ってるじゃん。この前観た舞台に立ってた役者がみんなバカに見えてね……おのおの考えてるんだろうけど、自分がそう見られたらすごく嫌だなあって。バカに見えるっていうのは、今の自分が生きてる世界とつながってないってことだから。自分のことしか考えてないんじゃないかな、そこに「他者」はいるのかな、って。

集団として、ブランクや距離と共存し続けるには

———制作の立場からは、今回の現場はどう映っていますか？

河村美帆香（以下．*km*）　今回のテーマがみんなの恩師の志郎康さんだから、出た大学が違う私は共有している思い出とかエピソードの量の差もあって、その点で結構人見知り状態ですね（笑）。コロナもあったし、普段は会社員としてあまりにも平坦な毎日を過ごしてるから、快快の現場に慣れるまで時間がかかる。今もうまくいってるのかな？ と。公演に向けてのお金のことは一応何とかなったけど、コロナで中止になる不安もギリギリまであるし。

———快快内部にある他者的な目線ですね。

km　『りんご』（初演：2012）で思いきり好きなことをさせてもらって以来、KAATが数年に1回「そろそろ新作のタイミングでは？」って機会をくれる関係性があるのがありがたい。でも、今後の活動をどうするかは非常に悩みどころで……。実は今回は、コロナの状況下だからこそ特例で助成金が出たおかげで実現できているっていう事情もあるんです。最近は「継続的に活動できる若手」にしか助成が下りづらい傾向があって、産休とかでブランクがある劇団だと継続性が認められない方針になってるって話も聞くから。

n　それって「商業演劇をやる人たち」だけを育てるっていう話で、「アーティスト」を育てる気持ちはゼロじゃん。この場をなくさないでほしいって思っちゃう。

———散り散りになっても、ブランクを空けながらでも集まれるのが快快の強みだと思いますけどね。

n　でも団体の維持は難しいよね。

km　今年でみんなもう40歳を超えるし、これからどうやっていくのかが見えないですね。

d　今回は「おつかれ」禁止なんだよね。でも、みんな毎日コソコソ声で「どう、疲れてる？」って聞いてる（笑）。

n　結局疲れちゃう。（稽古場の急な坂スタジオまで）急な坂を上ってこなきゃいけないから（笑）。

km　なるべく頑張らないで、ゆるいつながりでやっていければいいんだけど、私たちに「会社になれ」という、社会の無言の圧力が……。

（一同歯ぎしり）

———快快に対して「劇団」というカテゴライズが正しいのかいつも迷うのですが、自分たちではどう捉えていますか？

s　「小指値」から「快快」に改名したとき、ダンス批評家の桜井（圭介）さんに「とりあえずいったん『劇団』にしといたほうが広がるんじゃない？」って言われたのをすごく覚えてるんだよね。あえて枠を提示したほうが「劇団なのに○○してる」みたいにはみ出しやすいだろうって。文章で「劇団快快」と紹介されているのを見つけてモヤモヤしたときは、そのことを思い出してグッと堪えるようにしてる。

d　私の夫のエウジーが、イタリアの友達から「梨乃のグループってどういう感じなの？」って聞かれたとき「快快は、いわばハプニングだよ」って説明してて。それいいなって思ってたんだけど、こないだ東京に来たとき「みすず学苑」の広告を見たエウジーが「あ、これ快快かな？」って言ってた。ハプニングはいいけどみすずはちょっと……って（笑）。いろんな快快の見え方があるよね。

k　つねに疑問を持ちながらも、あえて「劇団」と言っていく感じではやってるかな。

s　そういえば、次に新作やるときは名前を「快快（村）」

大皮球
28051876

にしようとか言ってたよね。村と書いて「そん」。

c　メンバーにあとは医者と弁護士がいれば、ひとつの「村」として成り立つ、とか言ってね。

s　コロナもあるし、著作権とか権利関係も複雑な世の中になってるから「あとは医者と弁護士がいれば」って。

n　料理人(=山崎)はすでにいるし。もう、海賊の発想だよね(笑)。

恩師の言葉に自分の身体を乗せていく

———メンバーたちから集まったアイデアを、北川さんが主体となって脚本上の言葉にまとめるプロセスにおいては、これまでとの変化はありますか?

d　今回は、よんちゃんが志郎康さんの詩を熟読したうえで、研究に研究を重ねた脚本を書いてきたから「おっ」って思った。先生とよんちゃんの関係性が在学当時からあったんだなって。

c　今まで志郎康さんの詩をちゃんと読んだことがなかったんだけど、初めてしっかり読んでみたら、やっぱり面白かった。

n　前は「自分の書いたものを自分で演じるからこそ居場所があるし、舞台に立つ意味がある」って思ってたんだけど、今回は志郎康さんの言葉を話している自分が嬉しいからそれでいい、みたいな感覚がある。会話になってなくても、その根源に志郎康さんの詩があるから。人々が口で詩を伝え合っていた喜びみたいなものを、志郎康さんは大事にしてるんだよね。言葉を話す嬉しさで体が動いておかしくなっちゃうシーンとかもあって、そういう感覚に自分を持っていくのが正しいのかもしれないと思ってやってる。

d　いつもは自分の言葉を出して舞台に乗せていく感じだけど、今回は詩がすでにあって、そこに自分が乗っていく感覚に近い。直前になってやっぱり自分の話も入れるかもしれないけど……。志郎康さんの言う「わたし」って、みんなを内包する「わたし」なんじゃないかって感じがする。お客さんに囲まれている中で舞台の上にいるのは、そのポロンとひっくり返った「わたし」なんじゃないかって。

s　赤瀬川源平の《宇宙の罐詰》(1964 ／ 94)みたいに、内側と外側が逆転する感じだよね。最初、会議の形式を取り入れたかったのは、自分としては「モノローグ同士の対立」っていう図式がスムーズに立ち上がるんじゃないかと思ったから。もう快快も20年ぐらいの付き合いだから、誰かが言ったことに対して誰かが直接的に答える必要性もそんなになくなってるというか。モノローグの言い合いそのものがダイアローグっぽくなっている、みたいな状態もあるんじゃないかな。

———モノローグには、舞台を外に向かって開いていく力もありますよね。

s　ゴダールの映画には観客席に向かって話しかけたりするシーンがあって、それが公開当時は結構事件だったっていうよね。

d　でも「プロセニアム(≒舞台と客席の境界)を超えて観客に話しかけるのは安易だ」みたいなことも別役(実)さんの本に書いてあった(笑)。

n　劇的効果を狙って安易にその方法を使ってはいけない、作り上げたものをただ壊すだけでは劇的なものになるとは限らないよ、ってことだと思う。モノローグって演劇の醍醐味だよね。役者としてお客さんの目を見て何かを語りかけてると「今、演劇をやってるんだな」っていう感覚になるし、自分がお客さんとして観ている側のときも、モノローグがあると嬉しい。客席とのコミュニケーションがあるのが舞台のいいところ。

s　その話でいうと、もともと4面全部を客席にしようと思ってたときは「“背中のモノローグ”は成立するのか?」っていう問題が頭の中にあった。つまり、役者の背中を見ながらモノローグを聴くお客さんがどうしても出てくるから。

d　その問題、今もまだ残ってるよ。志郎康さんに電話をかけるシーンは背中を向けるのか、正面に開くのか。

s　演出上そうするならいいんだけど、意図せず背中を向けるのはどうなのかなって。役者も3人だし、4面はやりたいけど現実的に考えると難しい。

n　　それについては、昔のバブル期の高級ホテルの回転ラウンジみたいに少しずつ舞台を回すっていうアイデアが出てた。ちょっとずつ回りながらだんだん明るくなっていくっていう(笑)。

———山崎さんは、これまでの作品でもモノローグを言う場面が多い印象があります。

y　　言いがち言いがち。モノローグって言っても、自分のこと喋ってるだけだったりするんだけど。SPACで出演する作品だと自分のことは一切喋れないし、脚本なんてまずいじらない。与えられた役をどれだけやれるかにチャレンジしてるけど、その一方で快快の現場に来ると、なんだかんだ北川さんが書いてきたものに「ここにこれを足して……」とかやってる。俺的には、志郎康さんのことを考えたうえで補足のつもりで(自分の言葉を)足してるんだけど、結局またモノローグみたいに長く喋ろうとしてたりして。「(自分を)晒さないといけないのかなあ」と思いながらやってるけど……(突然ほかのメンバーに向かって)「それはないんじゃない?」と思ったら言ってほしい。自分で判断つかなくなってきてるから。もう時間もないし、台詞も覚えなきゃいけないからね。

n　　モノローグが急にうちらへの要望になった(笑)。

s　　でも、モノローグって「自分語り」とイコールではないわけじゃん。山こー先生(山崎)は観客に向けて伝えることをやるタイプの役者だから、そういう意味ではいいと思う。志郎康さんの成分をお客さんに直接お届けする役割。

y　　昨日稽古しながら思ったのは、お客さんに直接向けたモノローグが今はないってこと。「聞かせている」はあるけど、まだ直接プロセニアムを超えてない。

d　　まあ、でもまだどうなるかわかんないよ。

n　　さすがにそろそろわかってないと(笑)。

———本番まで、あと2週間を切りましたからね(笑)。*/

[2022年8月13日、急な坂スタジオ(神奈川)にて]

ふぁいふぁい

2008年結成。東京を中心に活動する劇団。変化し続けるメディア、アートの最前線にアクセスしつつ「演劇」をアップデートし、社会性とポップで柔らかなユーモアを併せ持つメッセージで幅広い支持を得る。

主な作品に、第57回岸田國士戯曲賞候補となった『りんご』(2012)、ハイバイ岩井秀人氏を演出に迎え、2,000名を超える動員を記録した『再生』(2015)、ホテルのスイートルームという特別な空間で上演した『CATFISH』(2017)、ウェブラジオや音楽ストリーミングを用い、舞台と外の世界の接続を試みた『ルイ・ルイ』(2019)などがある。

—

メンバー

北川陽子(きたがわ・ようこ)

脚本家／演出家。通称よんちゃん。快快の結成以来、主宰としてほぼすべての公演の脚本を担当している。

山崎皓司(やまざき・こうじ)

俳優。2019年に地元静岡に帰郷し、SPAC(静岡県舞台芸術センター)などの作品に出演するかたわら「百姓」として暮らす。

野上絹代(のがみ・きぬよ)

俳優／振付家／演出家。多摩美術大学で教鞭を執りながら、舞台作品の演出・振付や舞台芸術祭の芸術監督なども務める。二児の母。

大道寺梨乃(だいどうじ・りの)

俳優。2015年より生活拠点をイタリアに移し、コロナ禍以降は日記映画の制作を開始(その作中でも鈴木志郎康の詩を朗読している)。取材時は3年ぶりの帰国中だった。

佐々木文美(ささき・あやみ)

セノグラファー。2019年以降は出身地である鹿児島に住まいを移しながらも、舞台美術家集団「セノ派」や個人名義で精力的に作品や企画を展開する。

藤谷香子(ふじたに・きょうこ)
衣裳家。過去すべての快快作品で衣裳を担当。個人名義でも国内外問わず、舞台、音楽、美術など分野を問わず衣裳の観点から作品制作に携わる。

加藤和也(かとう・かずや)※本取材時は不在
写真、映像、ウェブ関連の制作を中心に活動。快快以外のアーティストの舞台・美術作品の記録やアーカイブ、作品制作のサポートも行う。

河村美帆香(かわむら・みほか)
制作担当。2010年より快快に参加。HEADZ、precogなどを経て、合同会社syuz'gen所属。本職はバックオフィス。

—

作品情報

快快『コーリングユー』
公演日時:2022年8月26日(金)〜9月4日(日)[全10公演]
会場:KAAT神奈川芸術劇場 大スタジオ
(神奈川県横浜市中区山下町281)
原作:鈴木志郎康
演出:快快
脚本:北川陽子+快快
出演:大道寺梨乃、野上絹代、山崎皓司
音楽:テンテンコ

—

※1 ——2022年9月8日、腎盂腎炎で逝去。享年87歳。予定していた全10公演を完遂した「コーリングユー」の千秋楽からわずか3日後のことだった。

※2 ——きょくしてき。「極」めて「私的」な視点に立つことと、そこから生じる表現。鈴木志郎康による造語とされ、『纏製同棲又は陥穽への逃走』(季節社、1967)、『極私的現代詩入門』(思潮社、1975)といった彼の著作や、日記的なアプローチで制作された個人映画のタイトルなどにたびたび用いられている。

※3 ——鈴木志郎康「ここはどこだ、快快だ、おいしい水が湧く泉」(詩集『ペチャブル詩人』[書肆山田、2013]収録)

INTERVIEW

KOSAI SEKINE

モノローグが交錯する日常のなかで
正義／悪への疑問が生まれる

In the midst of daily life,
where monologues intersect,
questions of justice/evil arise

VOTE

Interview

モノローグが交錯する日常のなかで
正義／悪への疑問が生まれる

関根光才［映像作家・映画監督］

映画、CM、MVをはじめ、さまざま領域で作品を発表し続ける映像作家・関根光才。2018年には彼にとって初の長編劇映画である『生きてるだけで、愛。』と、長編ドキュメンタリー映画『太陽の塔』の2作が公開され、映画界にも広くその名を知らしめることになった。前者は主人公の一人称視点で綴られた本谷有希子の同名小説の映画化であり、後者は言わずとしれた世界的芸術家・岡本太郎の代表作と現代人の関係に迫るもの。いずれも映画としての「語り口」が特徴的で、手法も対照的な作品だ。ストーリーをより映像で物語ることに重きを置いた新作短編映画『ZENON』や、俳優やミュージシャンなど影響力のある人々を迎え、選挙での投票を動画で呼びかけ大きな話題を呼んだ市民プロジェクト「VOICE PROJECT 投票はあなたの声」など、近年さらに旺盛に活動する関根監督に、自身の映像作品における「語り」のかたちと、今号のキーワードである「モノローグ」について話してもらった。

Interview, Text: Yushun Orita

映画界にも「関根光才」の名が広まった2018年

———関根さんにとって初の長編劇映画『生きてるだけで、愛。』と長編ドキュメンタリー映画『太陽の塔』の2作が公開された2018年は、「関根光才」の名が映画界にも広まった年だったと思います。この流れはどのようにして生まれたのでしょう？

関根光才（以下．*s*）　まず、長編映画の世界ではまだ自分などは本当に駆け出しなので、これからが頑張りどころだと思っている前提でお話しさせてもらいますが……この2作は同時進行させたかったわけではなく、たまたま制作・公開の年が重なったんです。映画というのは、企画の立ち上げから実際に制作に取り組むまでに時間がかかります

fig.1 『太陽の塔』より ©2018 映画『太陽の塔』製作委員会

特に『生きてるだけで、愛。』に関しては、まずお話をいただいてから脚本を書き上げるまでが大変でした。映像を作るための脚本はたくさん書いてきましたが、長編映画のための脚本は書いたことがなかった。つまり、映画業界の人たちに通じるスタイルのものを書いた経験がなかったんです。マナー的なものをはじめ、基本的な部分がまったく違いますので、たくさんのことを教わりながら書きました。キャスティングも簡単ではない内容でしたし、企画の始動から撮影までに3年ほどの時間を要しています。

———『太陽の塔』fig.1はいかがでしょう？

s　こちらに関しては、「太陽の塔」にまつわるドキュメンタリーの監督を公募するという不思議な企画がありまして塔の内部をリノベーションし、2018年に一般公開しようという動きがあったんです。このタイミングに合わせてドキュメンタリー映画を作らないかと、パルコさんが岡本太郎さんの甥にあたる平野暁臣さん(岡本太郎記念館館長)に話を持っていったところ「監督は公募にしよう」という話になったそうです。平野さんは太郎さんの魂が乗り移ったような方なんですよ。それに僕も応募しました。

———選考のプロセスはどのようなものだったのですか？

s　後で聞いた話だと、ほかの方々がしっかりとした資料を準備してプレゼンテーションされたのに対し、僕は申し訳ないのですが構想を口頭でお伝えしただけで……(苦笑)。でもそれが良かったのかもしれません。ドキュメンタリー映画というと「記録映画」だと捉えられがちじゃないですかなので、太陽の塔が誕生した当時のことも描かなければと思いましたが、僕としてはできた過程にそこまで興味がなかったというか……今、太陽の塔が存在しているというのは、僕らにとってどんな意味があるのか、そしてこれからどのような意味を帯びていくのか、というお話にしたいとお伝えしました。アートと日本人の関係性や、現代社会と表現の関係性にフォーカスすることが重要だと思っていたんです。この考えにみなさんも共鳴してくださったようで、制作が始まり、偶然に『生きてるだけで、愛。』と公開時期が重なりました。

映画と広告、それぞれの映像言語

——『生きてるだけで、愛。』の脚本執筆に苦労されたというお話が出ましたが、具体的にどのようなところですか？

これまで数多く手がけてきたMVや短編映画とは、大きく異なる物語り方をしなければならないところですね。映像言語が違うんです。MVや短編映画には、それらにしかない映像言語があるように、長編映画にも長編映画にしかない映像言語があります。この言語で原作の物語をどのように語るべきかを模索していました。

——「映像言語の違い」という言葉が出ましたが、どのように違いますか？

例えば僕は広告の産業にも関わっていますが、広告と映画でやることはまったく逆です。広告の場合はどれだけ中身を端的に説明できるかが重要で、映画はどれだけ説明をせずに表現していくかが重要だなと。すごく簡単に言葉にするならば、こういうことですね。

——映画と広告のどちらもやられているからこそ生まれる化学反応もありそうですね。

新たな作品に着手するたび、それまでの経験が活きているのを実感しています。説明的であることに陳腐さを感じることもありますが、これが観る者の心理に与える影響がとても大きいこともわかっています。一方、詳しい説明をしないまま物語ることにおいては、いかに観客を信頼できるかが大切。ダイレクトにメッセージを伝えるのと、観客それぞれに読み取ってもらうのはまったく違いますよね。できるだけ多くの方に届けるためには前者が必要で、真の意味で作品を開かれたものにするならば、多くを観客に委ねる後者を選ぶことが必要になってきます。エンターテインメント性とアート性のバランスの取り方によって、広告も映画も豊かなものになると感じています。

——バランスの取り方次第で、映画も広告も十人十色の受け取り方ができるわけですね。

「芸術としての映画」という側面に関しては特にそうですね。なので、岡本太郎さんについてリサーチしていくなかで、自分の考えていることとの重なりを感じる瞬間が多々ありました。太郎さんの芸術家としてのポテンシャルは「どれだけ人を信頼できるか」ということだと思います。現在の僕はこれらが相互作用するもの作りを意識しています。

本能的に作りたいと思えるものを

——新作短編映画である『ZENON』fig.2では、まさにそのような相互作用が起きているのを強く感じます。

s　『ZENON』に関しては、いろいろなプロジェクトが落ち着いたタイミングに、久しぶりに僕自身が本能的に「作りたいものを作ろう」と思ったのを機に制作した作品です。特別に社会的なテーマを盛り込むつもりはなかったのですが、僕がもともと哲学科出身ということもあって、「愛とは何なのか？」という問いがテーマになっています。
これまでたくさんの短編映画を作ってきましたが、1作目の『RIGHT PLACE』(2005)は、ほとんど言葉が登場しません。ラストにちょっとだけモノローグがあるくらい。そこからスタートしているので、映像で物語ることに面白さを感じていますね。それと、短編映画で重要なのはアイデアです。『ZENON』のアイデアも、短編映画を想定しているので、長編ではなく短編に向いているアイデアを模索していました。

——アイデアはどのようにして生まれたのでしょう？

s　「ゼノン」とは古代ギリシャの哲学者の名前で、彼の提唱したパラドックスのひとつである「アキレスと亀」をモチーフにしています。足の速いアキレスと足の遅い亀が競争をしたときに、どれだけアキレスが走っても、先にスタートした亀に追いつくことができないというものです。物理世界の現象としてはありえないはずなのに、微積分という概念が生まれるまでこのパラドックスを人類は解明できなかった。これは面白いなと興味を惹かれました。そしてどんどん考えていくうちに、人の愛情や、誰かを欲する心の運動にすごく似ていると気がついたんです。自分が相手に近づこうとして向かうと、相手はすでにどこか先の方に進んでいる。世の中ではこんな円運動が続いていて、僕たちはその分子みたいな動きをしているのではないかと夢想したのがすべての始まりです。

——このアイデアは、一緒に制作される方々とすぐに共

fig.2　『ZENON』より

有できましたか？

s　　自分の考えを整理するために図を描いたものを使って説明しました[fig.3]。僕としてはちゃんと説明したつもでしたが、振り返ってみると、みんなが同じように理解して作品の世界にのめり込んでくれていたのかはわかりませ(笑)。でもすごくバランスの取れたエンターテインメント作品に仕上がったと思います。

いかに「共感」とは逆のものを作るか

―――『ZENON』がアイデア勝負のオリジナル作品でるのに対し、『生きてるだけで、愛。』は本谷有希子さんの小説を映画化したものですよね。原作とは手ざわりが異なるのを感じました。

s　　初めにこの小説を読んだとき、人間の体液で文が書かれているような激しくて濃密な印象を受けました。谷さんの作品って、個人の内面にどこまでも潜り込んでいきますよね。これをそのまま映画にすることはできないといました。主観的な実験映画のような手法を採用すれば能かもしれませんが、それだと本作が持つ本来の魅力損なわれる。主人公である寧子のことが観客にとって「人事」だという認識で終わってしまうのは本末転倒になる考えました。どこか「自分事」として捉えてもらうことが重だなと。そのためには原作とは異なる、客観的な視点をち込まなければならないと思ったんです。原作は寧子の全な一人称視点で進んでいきますが、この映画はひとの男女の関係を、さまざまな視点やさまざまな角度からいています。それでいて、同時に寧子という一人の人間パーソナルな物語を貫徹させなければならない。これがなり複雑で難しかったですね。寧子の恋人である津奈木の存在をどれだけ大きく扱うかは悩みどころでした。
彼のエピソードって、原作ではほとんど出てこないんでよね。寧子が呪詛を吐く対象でしかない。これを男性でる僕の視点で読んでいると、個人的にどうしても納得でない部分がありました。それが、映画化する際の津奈木いうキャラクターの造形や、作品内における立ち位置の化につながっています。菅田将暉さんが丁寧に演じてくれました。

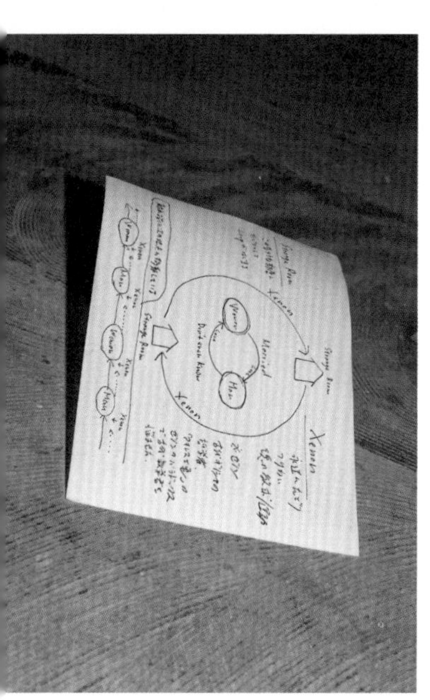

g.3 「ZENON」構想の際の手書きのコンセプト図。
触れる前に次の地点に移動している」など、
の短編全体を貫く構造を制作スタッフと共有するために用いられた

———津奈木やほかの人物のモノローグも聞こえてくるような気がしました。

s　僕らって常に頭の中でモノローグが流れている状態じゃないですか。そしてこれが外界の情報に対して、喜びや怒りなどの感情を帯びたものとして絶えず動いている。日常はこの誰かと誰かのモノローグのぶつかり合いだと思います。多くの人が自分の考えは基本的に正しいと信じている。けれども、もしも他者のモノローグを聞くことができたら、その人々の考えも間違いではないのだと気がつくはずなんですよね。誰も間違っていない、と。そうなると、正義や悪は存在するのかという疑問が生じてくる。こういった問いを垣間見せてくれるのが、映画の面白さであり、開かれた表現の面白さです。なので、寧子のモノローグにフォーカスした物語ではありますが、津奈木をはじめとする周囲の人物の考えていることや感じていることを観客が知ることによって、寧子の考えが否定されながらも正当化もされていくんです。この矛盾した部分こそを表現しなければなりませんでした。

———映画化に際して気をつけられた点はありますか？

s　映画完成後に本谷さんと対談をした際、この作品に関して「誰かに共感してほしい」とはお互いに思っていないのだという話になりました。公開された2018年ごろって、「他者に共感されたい」という欲求が、社会全体で劇的に強まっていたと思います。SNSをはじめ、いかに他者に共感されるのかが人間の価値だという状況になっていたように感じていました。でも誰かに共感されることを前提として作られるものって、純粋な表現には到底なり得ない。SNSに投稿されるものは見られることが大前提であり、より多くの人に見てもらうことがひとつの価値になっています。でもそうして多くの人に見てもらうことを目的とした投稿になっていくと、発するメッセージも危険なものになりかねない。ある種、人の欲求に付け込んだものの作り方になっていくわけです。

———手段が目的になってしまうと。

s　なので、いかにその逆の考え方で作ることができるのかが重要でした。それが結果的に、「あ、辛いけど、自

分も寧子のような部分が少なからずあるかも」と感じてくださる方々の声につながったのかもしれません。ここのバランスの調整が難しかった、非常に複雑な作品ですね。寧子を演じた主演の趣里さんには、「映画の前半では寧子は嫌われてもいい。でも途中からは、生きることにむき出しな彼女に観客が惹き込まれていくかどうか。観客が少しだけ彼女との重なりを感じて歩み寄ってくれるかどうか。これがこの映画の勝負どころだよね」と話していました。でもいくら役だとはいえ、嫌われるのは嫌なはず。趣里さんには絶妙な匙加減で魅力的に寧子を演じてくれました。この映画は、すべて彼女あってのものだと思っています。

誰もが想像する
「ドキュメンタリー」である必要はない

———『ZENON』も『生きてるだけで、愛。』もモノローグ(≒主人公視点のナレーション)から始まりますが、関根さんにとって映画作品における「モノローグ」とはどのようなものでしょうか？

s　まず単純に、僕はモノローグのある映画が好きなんですよね。一人称で語られているものって、それが特別なものであろうがなかろうが、興味を惹かれませんか？アート作品もそうです。客観的に事象を見ることはいろんな場面で体験できますが、誰かのモノローグを知ることは不可能。でもそれが映画や特定の表現手法だと実現できるわけです。映画に許された特別な手法だなと。僕にとってモノローグから始まる作品というのは、きわめて映画的なものなんです。なので僕が映画を作る際はそうなりがちなのかもしれません。

———一方の『太陽の塔』は、多くの人々の「語り」の集積によってできていますね。

s　とにかくたくさんの人たちの話を聞いて、それを細分化し、再構築して、あるひとつの物語を立ち上げるというのが本作でやってみたかったことです。みんな違うことを言っているはずなのに、どこか同じことについて話していると観客に伝えられるかどうか。岡本太郎さん自身がやられていたことにも、これに近いものを僕は感じていたんです。きわめて彼のパーソナルな視点で作られたものなのに、生まれた作品はみんなの感じていることを表現しているというか人類全体の表現につながっている気がするんですよ。そういう意味では「みんなのモノローグをつないで人類のモノローグにできるか」という挑戦でした。

———それを映画という手法でやれるかどうかということですね。

s　ノイローゼになりかけました(笑)。お話しいただいた言葉をプリントアウトして、「曼荼羅」的に並べてみて。すごく不思議な体験であり、不思議な作品になったと思います。そしてこの経験が、「VOICE PROJECT」にもつながっています。

———『太陽の塔』のキャスティングはどのように決めたのですか？

s　出演者の半数くらいは、「太陽の塔」が建設された当時に何かしらの関わりを持っていた方々です。けれど3分の1くらい、例えばダンサーの菅原小春さんなどは、僕の個人的なインスピレーションでお声がけしました。彼女らが普段から表現していることに岡本太郎的なものを感じたというか。生きている時代は違うけれども、表現者として根底で通じ合っているものを感じたんです。

———そういった視点が取り入れられているからこそ、すごく広がりのある作品になっているように思いました。

s　だいぶ個人的な映画になっちゃったとも思っています(笑)。でも岡本太郎という存在に挑むためには、己をさらけ出さなければならないなと。みんなの話ではありますが僕自身のパーソナルなモノローグである必要も意識していました。

———フィクションのパート[fig.4]が取り入れられていることも大きいのでしょうか？

s　そこもそうですが、どちらかといえば「言葉の編集」の部分ですね。組み合わせ方は何億通りもありえるので、これを僕がある種のモノローグ的に語りたいように組み替えたわけです。もちろんそれは危険な行為だとも感じていたので、インタビューに答えてくださる方が「自分の言ったこ

ig.4 『太陽の塔』のロケハン／撮影時のひとコマ(いずれも撮影:関根光才)。
上から、コンチョク・ギャムツォ師(チベット仏教僧侶)の取材に際して訪れたチベット、
「太陽の塔」所在地である大阪、インタビュー映像の合間に効果的に挿入される
フィクションパートのひとつを撮影した伊豆大島にて

ig.5 「VOICE PROJECT」より

と違う」とならないよう、確認作業も含めて細心の注意を払いました。

―――ドキュメンタリーでありながらフィクションの要素もあり、関根さんの作家性が反映された作品に仕上がっていると思います。

s フィクションのパートを取り入れた理由は二つあります。ひとつは、バラバラの話をつなげるため。もうひとつは、ドキュメンタリーというものに対して、誰もが想像する形式である必要はないと感じたためです。観ている方が「あれ？ドキュメンタリー映画じゃなかったっけ？」となるような作りを意識していました。太郎さんのアヴァンギャルド性を今の時代で解釈するとしたらどうなるかを考えた結果です。

―――先ほど『太陽の塔』を手がけた経験が、動画を通して投票を呼びかける市民プロジェクト「VOICE PROJECT」fig.5につながっているというお話が出ましたが、意識されたことは何でしょう？

s このプロジェクトは日本の社会の現状に対する危機感から生まれたものなので、意識することばかりでした。社会的に影響力のある人々に出演していただいて「投票に行け」と訴えるのではなく、彼らも自分たちと同じように悩んでいるんだという、その現状をシェアし、投票の敷居を下げることが目的です。誰かが投票について話す広告的なものではなく、むしろ「反広告」的なものかなと。誰かに何かを言わされるのではなく、あくまで自分の言葉で話している様子を映像に収めています。出演者全員に言えることですが、これほど著名な俳優やインフルエンサーの方々が胸襟を開いて人前で個人的な意見を話す場って、なかなか目にすることがないじゃないですか。しかもそれが、タブーとされていた政治に関する話であると。

―――制作をする上での不安はありませんでしたか？

s 1回目(2021年の衆議院議員選挙)のときは初めての試みだったのでどうなるのか予想ができず、脚本的なものを用意していました。今まで政治についてカメラの前では話されてこなかった方々が過半数です。いきなり政治について話せるかというと、みなさんも不安はあると思いましたので。一度その脚本に沿って話してもらいはしたのですが、それ

よりもその前後で悩みながら話している姿の方が素敵でした。正しくなければならないということを口にしている姿よりも、悩んだり苦しんだりしながら告白している姿の方がより届くのだと痛感しました。
これは映画にも通じることですね。何かの要請に従ったり誰かに言わされているのではなくて、限りなく抑圧のない状態から生まれる言葉こそが、はるかに他者に響くのだと思います。*/

[2022年7月19日、株式会社NION(東京・代官山)にて]

—

せきね・こうさい
東京生まれ。2005年の短編映画『RIGHT PLACE』で初監督以来、多くの短編映画や広告、MVを手掛け、カンヌ・ライオンズではグランプリを受賞。2018年には初の長編作品『生きてるだけで、愛。』とドキュメンタリー長編『太陽の塔』が公開。映画、広告、アートなど多岐のジャンルにわたる作品を制作する中、社会活動も精力的に行っており、国連UNHCR協会との共同制作や、多くの俳優やミュージシャン、文化人と投票を呼び掛けたVOICE PROJECTの発起人としても知られる。

COLUMN

TAKEFUMI
TSUTSUI

SYUNICHI
SUGE

CHIHIRO
NISHIMOTO

PATU

NIKKIYA-
TSUKIHI

Critique

ひとが／映画を／作る意味

01 脚本をAIに委ねたときに起こったこと

筒井武文

昨年、少々奇妙な映画が作られた。題名を『少年、なにかが発芽する』という。何が奇妙かといえば、脚本に「フルコト」というAIが導入されていることである。といっても、映画自体がとんでもなく奇妙ということはない。それでも、AIが導入されなければ、こういう映画にはなってはいない。そのことの意味は、改めて探るとして、映画にAIを導入するとはどういうことなのか。

これが、チェスとか将棋に比べてみれば、その意味ははっきりする。勝負の終わりに向けて、最善手を探っていく目的の明確なゲームだからだ。キング、王(玉)を詰めてしまえば終わる(将棋の方が捕獲した駒を自分の駒として再度利用できるというルールにより、チェスよりさらに次の一手の可能性が増えているが)。AIにルールを教え、一手ごとに最善手をシュミレーションする。コンピューターの計算能力が高ければ高いほど有利になる。ところが、対戦ゲームではない映画に最善手は存在しない。映画史を振り返れば、黒澤明の『隠し砦の三悪人』(1958)の脚本作業の際、複数の脚本家を敵味方の2チームに分け、最善手を競わせたというエピソードはある。ここにもAIが活用できそうだが、時代や地形や身分、人や馬の速度、刀や槍の長さなど、どれほどのデータを入力しないといけないか気が遠くなりそうだ。

現時点での脚本作業におけるAIの出番といえば、AIに必要な情報を入力して、膨大なストーリー・パターンを作るという段階にとどまるだろう。どれがいいかという判断は、当面人間が下すしかない。だけれども、人間には思いつけなかった物語が紡がれる可能性は高い。もっとも、それが人間に理解されるかどうかは別の問題になる。

ところで、そもそも映画とは何か。19世紀の光学技術と化学技術が結合して生み出された撮影と映写の装置である。しかし、これが実用化された影響は大きかった。レンズの前の現実が写しとられたものが、しかし世界への認識を変えていく。いつしか、映像の中に物語が持ち込まれることになり、そのために効果的なフレーミングや編集が模索される。リュミエールがシネマトグラフを一般公開した1895年を起点とすれば、およそ1920年までの25年間で、現在の観客が無意識に了解しているような映画文法は形作られている。長回しで一気に撮られていなくても、編集で二人の顔を交互に繋げば、二人が同一空間にいるのは了解されるし、仮に両者が電話器を手にしていたら、離れた場所で会話していること(つまり同時刻)も伝わるだろう。物語で必要な情報は、手紙であれ、表情であれ、鍵穴であれ、アップで提供される。

また、この時期は、演技者がスターとして、興行価値を得た時代でもある。チャップリンも、メアリー・ピックフォードも、ダグラス・フェアバンクスも登場している。プロデューサーは、そのスターの価値に基づき、コメディやメロドラマや冒険活劇を企画していくだろう。

もうひとつの問題として、テクノロジーの側面がある。映画は戦争、それも世界大戦の時代と並行して発展してきた。キャメラの開発は、軍事技術の発達と相互利用の関係にある。キャメラを偵察機に積み、敵地の撮影を行うため、軽量化、安定性、操作性の追求がなされる。結果として、ドキュメンタリーの発展にもつながる。劇映画の分野では、ウィリアム・A・ウェルマンの『つばさ』(1927)の空中撮影が戦場のリアリティを伝えることになる。ジャンルとして、戦争映画の需要も増していく。第1次から第2次世界大戦に進むなかで、コンピューターに関わる部門も拡大する。

そして、SFというジャンルが本格的に、コンピューターの問題を扱うことになる。当初は、人間が操作するロボットから、自らの意思で動くアンドロイド、サイボーグへ。そうなってくると、人間と人間ならざるものとの境界は何かという、生命の問題が浮上する。アーサー・C・クラークが脚本を提供して、スタンリー・キューブリックが監督した『2001年宇宙の旅』(1968)が直面した問題だ。ここでのコンピューターは人間的な感情を持つようにすら見える。人間に奉仕していたはずのコンピューターが反乱を起こす。ここで人間対コンピューターの騙し合いが描かれることになる。

この時点ではアナログの技術だった特撮にも、やがてその作業がデジタル技術に委ねられる時代が到来した。コンピューター・グラフィックス、CGの登場である。それまでは現場処理か、オプティカル合成——要は素材を実写であれ、

『少年、なにかが発芽する』より　©2021東京藝術大学映像研究科

アニメーションであれ、事前に撮影しなければならなかったもの——が、ポスト・プロダクションでのコンピューター作業によって大部分が賄われることになる。

ところで、リュミエールがこの世界にレンズを向けたとき、映し出されたのは、人間の目には認識されてない世界の姿であった。つまりフレームの中の世界が等価である事実である。前景も中景も後景も、同じ資格、同じ重みで世界を形作っている。もちろん、人間はその中心を担っているように見えなくはない。しかし、それは演出が介在したからである。そこに映画の本質はある。さらに、映画が物語を語ろうとしたときは、どうであったか。例えば、小説を映画化しようとしたら、言葉と映像の違いは埋められるのか。

ここに、小説における記述の人称の問題が関わってくる。近代的な三人称の語り、これは登場人物の内面まで明かしてしまう、超越的な視点である。ところが、レンズは人間の内面を映し出すことはできない。それでは、一人称はどうか。一人称の場合、記述者の感情は描け、その記述者の見た世界として他者の外形は描けるが、その内面は記述者の推測のレベルで事実とは認定できない。レンズは、一人称でもない。強いて言えば、非人称なのである。

それでは、物語映画は人の行動しか描けないのか。初期はそうであった。しかし、さほど遅くない時期に、映画の中で発明が行われる。人物の眼差しと、その眼差しが捉えているであろう対象を編集で直結することである。カットが再び、人物に戻ってきたとき、その人物の考えが伝わったように観客は思う。こうして、映画の主人公たちの視点に同化していく。すでに、こうした技法はヒッチコックの30年代の作品で完璧に機能している。警察からも、悪漢からも追われる主人公のハラハラドキドキ！　こうして、映画は内面描写を取り入れ、小説の映画化も自在に行われるようになった(ように見える)。

では、『少年、なにかが発芽する』に戻ろう。この作品では主人公の少年と母親との葛藤が描かれているようにも見える。しかし、どこか奇妙だ。その原因に、AIによるプロット作成が関係している(はずだ)。まず、シナリオ作成の過程を見ていこう。

まず渡辺裕子監督からのログラインが入力される。

「母親と一緒にトマト畑に来た少年が、働いている母親から離れひとりで萎れたトマトの木に水やりし、やがて仕事を終えた母親と一緒にトマト畑を去る。」

このログラインに基づき、AIから起承転結に区切られた「大箱」、シーン単位に構成された「中箱」が出力される。共同脚本を担当した多和田紘希が注目したのが、中箱の次の記述である。

「5　自宅(朝)　少年、なにかが発芽している」

このイメージを生かし、シナリオ(といっても、台詞のないシノプス[あらすじ]のようなもの)が、脚本家による最小限の修正を経て仕上げられた。将来的には、登場人物の膨大なデータ力すれば、台詞をAIが描くことも可能になるのだろう。だが、時点では、シノプシスが限界のようだ。これでも無限に近物語の構成パターンが出てくるので、それを読むだけでも仕事になる。よっぽど人間が書いた方が早いと思えるが、れでも「発芽」というイメージは、リアリズムに囚われていた出てこないだろう。

果として、サイレント映画のような簡潔な行動の記述としてシナリオを元に撮影に入ることになる。この映画のストーーは「トマトが嫌いな息子に、なんとかトマトを食べさせようする母親の葛藤が描かれる」と要約できるが、少年の脇の後方に起きる発芽現象との因果関係は不明なまま進行る。AIの出力した物語を面白いと尊重したからである。

れでも、撮影チームは観客が最低限理解できるように、が出力したストーリーの隙間としての場所や時間の転換示すカットを加えているのだが、前述した人物の内面を示POV(point-of-view)ショットは、本能的になのか避けられいる。2階の窓から登校する少年を捉えたショットは、母親一人称視点のように感じられるが、彼女の眼差しに繋がることはない。その結果、ショット自体の自立性が高まり、ーンの意味づけは、観客の想像力に委ねられる。実際、年が帰ってくるとき、同じ2階の窓からのアングルが繰り返れるのだが、今度はフィックスではなく、パンが始まり、調中の母親、階段を登ってくる少年が順次フレーム・インし、)Vでないことを明確に示す。

り手が意図していないであろう例もある。少年が鏡で発芽所を確かめるショットで、鏡に映された皮膚が人面に見え者は衝撃を受けたのだが、よく見ると葉の影が偶然そうわせたのだった。ショット間の意味づけを希薄にしたことで、フカ原作の映画のような人間の範疇を超えた不条理な世が立ち上がってきている。

れは、結果として、映画の文法が確立されていった1910代をやり直しているようなスリリングな試みではないか。スーリー・テリングに最新の技術を導入した映画が、映画史先祖返りを示している逆説をどう解釈すべきだろう。ひょっすると、ここから映画史のまったく別な展開が起きる可能が孕まれているのではないか。AIの脚本導入による成果見ながら、そんな妄想も浮かんでくるのである。*/

第2回に続く]

今回扱った作品

少年、なにかが発芽する
Boy Sprouted
2021年/ 26分/日本/カラー
監督:渡辺裕子

—

つつい・たけふみ
映画監督、東京藝術大学大学院映像研究科教授。東京造形大学時代から映画製作を開始。1987年、無声映画『ゆめこの大冒険』で劇場デビュー。主な監督作品に、『レディメイド』(1982)、『アリス イン ワンダーランド』3D(1988)、『オーバードライヴ』(2004)、『バッハの肖像』(2010)、『孤独な惑星』(2011)、『映像の発見=松本俊夫の時代』(2015)、『自由なファンシィ』(2015)、『ホテルニュームーン』(2019)。

Study

つくるための道具をつくる

Case 02 試行錯誤のハードルを下げる

菅俊一

製造業の現場では、作業を効率化したり精度を上げるためにつくられた道具全般のことを「治具(jig)」と呼んでいます。本連載では、私が普段つくるときに生み出している、この治具のような「つくるための道具」を紹介していきます。
今回紹介するのは、現在私が進めている、視線に関する作品制作研究を行う際に使用している道具です。この研究は、他者が視線を向けた先に、自分も同じように目で追ってしまう「共同注意(joint attention)」という知覚のはたらきを利用して、単純な線で描かれた目、鼻、口で構成された顔の図版によって視線どうしを連鎖させてつなげていく[fig.1]ことで、人を誘導する体験をつくるというものなのですが、そのアイデアを検討する際に、何度も大量の顔の図版を描くということが必要になりました。

fig.1 共同注意による視線の連鎖

そんなにたいした描写ではないので、そのくらい手で描いたら良いのかもしれませんが、視線の方向だけを変え、他の要素は揃えた状態にして検討したいということもあり、何度もサイズを丁寧に気にしながら描くのは正直面倒です。何かを試そうとする時には、この「めんどくさい」という感情によって試そうとする気持ちにブレーキがかかってしまうことが一番のリスクです。試したり考えたりするハードルを可能な限り下げるため、私は瞳が描き入れられてない顔だけのスタンプをつくり[fig.2]、効率化することにしました。

fig.2 顔のスタンプを捺して、

fig.3 ペンで瞳を描き入れる

このスタンプは、捺してからペンで瞳を描き込むと視線を持った顔ができあがります[fig.3]。スタンプなので、ノートに捺して様々な位置関係をシミュレーションしたり、こちらで

や形を変えた紙に捺すことで実際の作品体験を検証す
だけでなくラベル用紙に捺すことで立体物に貼って三次
でも検討することができるなど、とにかくその場で思いつ
たことを大量に試行錯誤することが可能になりました。

の高いものや新しいものを探求するためには、膨大な
行錯誤が必要です。こういった道具をつくることで、アイ
アを試す効率を上げ、新しいものに辿り着く確率を可能
限り上げることができるのです。*/

道具データ]
作方法：Adobe Illustratorで入稿データをつくり fig.4、
ンコヤドットコムにてシャチハタ Xstamper角型印2020号
オーダーをオンライン入稿・発注した。
作時間：1d15m
ータ制作から入校まで15m、入稿から納品まで1日）

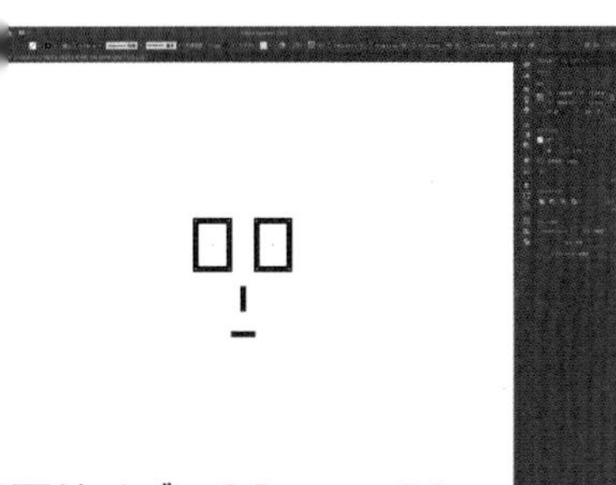

4　スタンプの入稿データの作成画面

げ・しゅんいち
グニティブデザイナー／多摩美術大学統合デザイン学科
教授。最近は視線による共同注意を利用した、新しい誘
体験を生み出すための表現技術について探求している。
unichisuge.com

Essay

安心で安全な場所

#01 ほんとうにわたしたちが欲しかったまち

西本千尋

実家の本棚の最上段の右奥に喪服のような装丁をした『岩波女性学事典』が立っていたことは、だいぶ前から知ってはいたもののまさか自分が夜明けにそれに手を伸ばす日が来るとは想像していなかった。汗をかいている。子どもの寝ている位置を確認した。二人とも、顔は見えない。

388頁。ひとり親世帯。

> *「親ひとりと子どもで構成される世帯。ひとり親世帯(またはひとり親家庭)は、主に行政の母子・父子世帯施策の用語として使われてきている。1974年イギリスでひとり親福祉施策の提言としてファイナー報告が出された。日本ではこれを参考に東京都児童福祉審議会が81年に単親世帯(のち、ひとり親世帯)施策を提言したのが始まりで、片親、崩壊家族、欠損家族などの否定的なイメージを克服しようという意図があった。*
> *[中略]*
> *シングル・マザーの母子世帯は約95万世帯、平均年収229万円と経済的な困難が大きく、シングル・ファザーの父子は約16万世帯、平均年収422万円(いずれも厚生労働省「平成10年度全国母子世帯等調査」)と経済的には母子家庭より恵まれている。[後略](赤石千衣子)」*
>
> *[井上輝子+江原由美子+加納実紀代+上野千鶴子+大沢真理編『岩波女性学事典』(岩波書店、2002)p.388]*

次項目の「避妊」の文字が目に入ると、あまりの関係なさに驚いて、起き上がろうとした。白い朝だった。父の盆栽らしきものが障子の隙間から覗いていた。

前日の23時32分、子ども二人を連れて、武蔵野の実家にたどりついたばかりだった。子背負いリュック、スーツケース、ベビーカー、持ち手にIKEAの筒状の90センチほどのおもちゃ入れを吊りさげて。朝起きると、筒状の容れ物はリビングでグニャリと倒れ、おもちゃの隙間にぎゅうぎゅうに押し詰めていたはずの子どもたちの夏服が床に飛び出していた。

居場所が違う。昨日の朝と違うところだ。すべてが。服もおもちゃも自分も子どもたちも服も靴も何もかもが、昨日、元あるところにあったはずのものが、居場所を失った。早く、居場所を与えなければ、整えなければ。始めなければ。早く。

でも、動けなかった。ところどころ変色を重ねた見覚えのあるコルクの床を眺めながら、ここは安全な場所なのだろうかと思った。これから誰かに会って何があったかを言葉にしなければならないのだろうか。何が悲しいでも悲しくないでもない。何百キロも遠くの土地から、幼な子を連れて、帰ってきたのだ。少し休みたい。休ませてもらえるのだろうか。ここに置いてもらえるのだろうか。

また、少し眠った。眠らせてもらった。起きると子どもたちがおばあちゃんやおじいちゃんに甘やかされて、てれくさそうにしていた。体をきれいにしてもらって、梅ジュースをもらったそうだ。ごきげんだった。なんの心配もいらないよ。チョコレートも食べよう。あくびをしている。

もう少し眠りたい。昨日まであった日常生活の一切合切を手持ちで持てるだけのものに詰め込んで、昨日まであった人間関係をすべて切り離し、逃げてくるようなことをした。目をつむると、悲痛な面持ちをして、真っ白い顔をして、疲れを眉間に溜めて、恐怖が耳たぶの後ろに張り付いたように、浅い呼吸をして、目を開けている人間が立っていた。わたしは思った。あの人、目をつぶれないんだと思った。こわくて、ばかばかしくて、あまりの怒りで、笑い出したいような、泣き出したいような顔をしている。でも、あの人は、どこを見ているの。あの人は、誰。あ、笑った。わたし、知ってる、あの人を見たことがある。あの人は、夫から殴られていたよ。

はっと気づくと「だいじょうぶ、もう安全なところにいるよ。ほんとうによく頑張った。」友人Mからのメッセージが携帯に流れた。ありがとう、Mさん。ほっとする。

安全なところ。「何も助けてくれなかったなあ」。自分が20年近く携わってきたまちづくりや都市計画の仕事を思い出す。この分野では長らく「安心安全のまちづくり」を最上位のスローガンとしたまちづくりや都市計画が行われてきた。都市計画家の信念は「ハードの建設を通じて、ソフト(共同性)を創造もしくは再構築すること」だと聞いていたけれど、「建物ができたら新たなコミュニティが生まれる」(そもそもそれも本当か)というだけで、ひとたびそこに足を踏み入れたら権力不均衡が解消される家とかビルとか、崩壊家族や欠損家族が個人として尊重される居場所ができた事例など、今まで聞いたことがなかった。

大規模再開発、商店街や住宅地における防犯カメラの設置、ホームレス除けのベンチの設置、落書きと違反看板撤去、最近だとコロナ禍対応のテレワーク設備の購入など、先のスローガンを掲げさえすれば何にでも予算がつくのでわたしもそのためにたくさんの補助金申請書を作文してきた。はじめはコツが掴めなくてよく上司に叱られたけれど、慣れてくると自分でも驚くほど上手に書けるようになって、そもそも申請書を出したことさえ忘れてしまった頃、夕立のように採択通知が届くようになった。でも、ぜんぶ一体、誰のためだったんだろう、誰かわたしに「よくやったね」とか「おかげで安心したよ」などと言ってくれたこともないし、そもそもその取り組みで「安心安全を手に入れた」人は誰だったんだろう。わたしたちのまちを安心に安全にするためにカメラを至るところで回し合ってわたしたちがわたしたち自身を互いに監視しあうようにしたり、わたしたちが作り上げた日常を丸ごと壊したり、「みんなのため」と言って公園に禁止看板ばかり増やしてきたことは、やっぱりよくなかったんだ。わたしたちのまちの公園は「みんなの安全安心のため」にボール投げもキックボードも鳩の餌やりも花火も楽器の演奏も携帯ゲームも合唱もベンチの長時間利用もできなくなった。

このことについて、これまで一度だけ「これがほんとうにわたしたちが欲しかったまちなのかなあ」と職場で言いかけたことがある。しかし上司には「個人がめいめいに欲しいまちなんてものは本人もわからない。わかっていない。ましてや『ほんとうに』などというものはない。だから『みなさんが欲しいものはこれです』と言うことが、われわれのしごとだ」と言われて、疲れていたし、ほんとうだなと思ったのか、それ以降、こういうことを書いたり言ったりしなくなった。

深く眠ることができるのにそれから1年ほどを要し、39歳をちょうど半分過ぎたころ、わたしは標準家庭というものにピリオドを打った。とりあえず、安心安全に、好きなものたちとあまりに賑やかでおしゃべりな人たちに囲まれて、この原稿を書いている。

わたしは、ときどき、多くの人と同じように、好きな絵や好きな本、音楽に、自画像、自分自身を見出すことがある。あなたが書いてくれたけど、そこにわたしもいると感じることがある。あなたが歌ってくれた曲のなかに、わたしも居る、同じだと感じることがある。何度も聴いたり、読んだりするうちに、わたしの言葉になった、わたしの人生の一部になった他者の物語だって少なくない。わたしはそれらの作品に押し返され、なんとかこの世に存在を許されてきた。自分でひとりでちゃんと立っているなんてとても思えない。

翻って、わたしの携わってきたまちづくりや都市計画はどうだろう。とある場所を訪れ、自分はここに居ていいのだとか、とある街にただ佇み、わたしの居場所だというように、安堵を感じられた空間があるのだろうか。この街がわたしの存在を許してくれているなんて感じたことはあるだろうか。ない気がする。でも、もしあるとするなら、それは果たしてどの部分がまちづくりや都市計画の成果なのか。安全で安心な場所にいたい。誰かと安心した関係を結びたい。もしできうるのなら、誰かの安全な場所を作りたいという泡のようなことを一瞬だけ思い描いてみようとした。まだ何かできることはあるのだろうか。

この連載では、そのことについて、いつもするようにわたし自身の経験に立ち戻り、綴ってみたい。*/

［第2回に続く］

—

にしもと・ちひろ
1983年、埼玉県川越市生まれ。大学時に岩見良太郎よりまちづくりを学び、各地のまちづくり活動に関わる(2005–現在)。NPO法人KOMPOSITION理事／ JAM主宰。建築討論にて連載「ケアするまちづくり」(2022–)、ZINE『移動新聞』(2021–)など。

Review

この三冊(の映画パンフ)からはじめよ

#01 アートディレクター・石井勇一による三冊

選・文=映画パンフは宇宙だ! (PATU)

書籍でも雑誌でもなく「映画のパンフレット」というニッチな存在をひたすら愛でる有志団体「映画パンフは宇宙だ!(PATU)」が毎号テーマに沿ったパンフを三冊ピックアップし、その魅力を熱くプレゼンする本連載。初回は、PATUが今もっとも注目するアートディレクター・石井勇一さん(OTUA)が手がけた、作品への深い理解に基づくしかけに満ちたパンフレットをご紹介します。(編集部)

映画パンフは宇宙だ!(PATU)とは?
映画パンフレット文化の継承と発展・発信を目的として活動している自主団体。現在約30名のメンバーが在籍中。書籍・Zineの自主出版、イベント企画や映画パンフレットの受託編集などを通じて「映画を観て・読む」ことの楽しさを伝えている。
Twitter: @pamphlet_uchuda

—

“よく見たら”映画パンフであることの驚き

文:パンフマン

スケッチブック、灯台守日誌に週刊誌と映画の世界観がそのまま転化したようにデザインされたパンフの数々。「パンフレットは購入者視点で鑑賞後に本当に欲しくなるモノをつくるべき」とは石井さんの言葉。特別な装丁、質感だからこそ手に取ってみたくなるのかもしれません。

—

※石井勇一さんが手掛けたほかの映画作品のパンフレットやポスタービジュアルは、ご本人のSNSなどからも数多く見ることができます。
Twitter / Instagram:@yuichishi

一冊目

『わたしは最悪。』(公開年:2022)

文:鈴木隆子

日本の出版物のなかでもあまり見かけないサイズ(270×210㎜)は、海外のゴシップ週刊誌をイメージした丁で、手に取ってちょっと丸めてみるとその佇まいに非に説得力を感じることができるので、ぜひ試していただたい。紙の手触り、表紙に配されたバーコード、目次(フではあまり見かけない)などの徹底した演出により、自分が品の中に入って登場人物たちの日常やスキャンダルを垣見ているような気分になる。

—

二冊目

『花束みたいな恋をした』(公開年:2021)

文:しかまる。

菅田将暉演じる麦がイラストを描くときに使うマルマンのケッチブック仕様。劇中に登場するお笑いライブのチケが綴じ込まれていたり、麦のイラスト(作:朝野ペコ)がペーのいたるところに散りばめられていたりと、映画の世界観これでもかと詰め込んだデザインが話題となった。背の分はプリントではなく実際にクロス紙を貼るなど、ディテルを追求する石井勇一さんのデザインを代表する一冊ある。

—

三冊目

『ライトハウス』(公開年:2021)

文:狩野菜々子

ニューイングランド沖にある孤島での狂気と恐怖の日々綴られた灯台守日誌をパンフレットにした一冊。白い画用を飲料や雨土に2か月ほど晒して作り上げたシミが全ペジにわたって施され、磯と潮のじっとりとした匂い、鼻をく強烈な酒の香りが生々しく漂ってきそうな仕上がり。黒とした海が荒れ狂う中で、二人の灯台守の間で濃くなっいく不穏な空気感を、パンフレットに宿らせた石井勇一んの熱量とこだわりが光るデザイン。

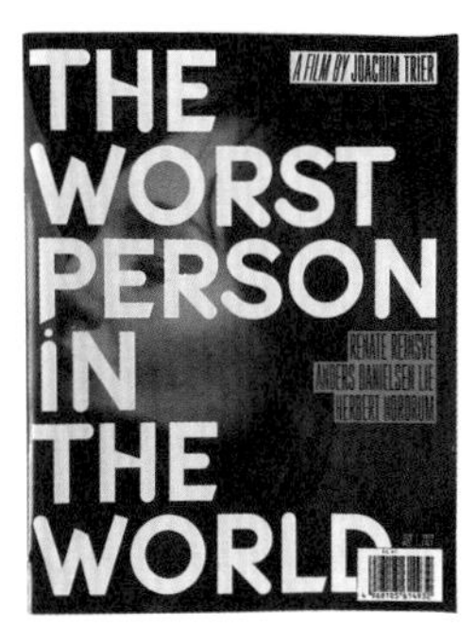

『わたしは最悪。』
270×210mm ／ 52ページ／中綴じ
2022年7月1日発行、定価900円（税込）

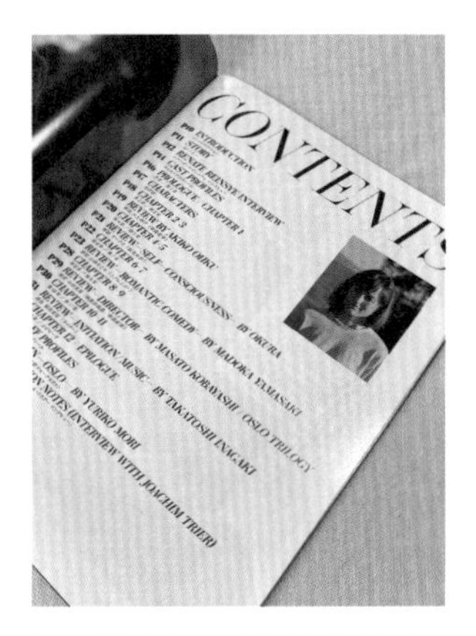

『花束みたいな恋をした』
172×250mm ／ 72ページ／製本テープ綴じ
2021年1月29日発行、定価900円（税込）

『ライトハウス』
210×280mm ／ 48ページ／無線綴じ
2021年7月9日発行、定価900円（税込）

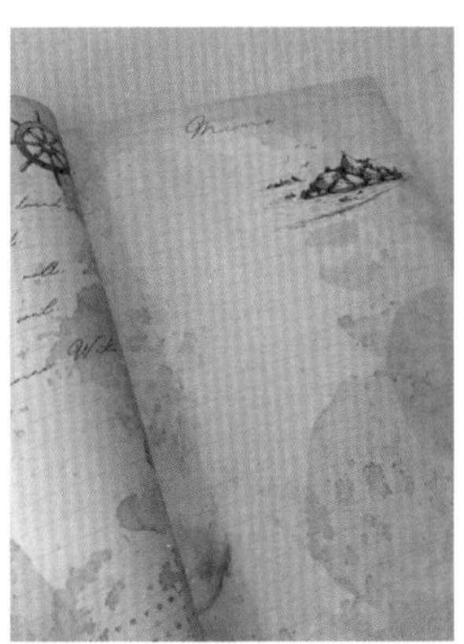

店内の本棚の日記本(筆者撮影)

Cities & Diaries

カウンターの中から

#01 日記屋 月日(店長:栗本凌太郎)

街の景色と個の記憶。映画館K2の位置する東京・下北沢で店を営む人々がリレー形式で書き継ぐ、ある期間の日記。初回は、下北沢〜世田谷代田駅間の「BONUS TRACK」内にある日記の専門店「日記屋 月日」店長の栗本凌太郎さんが店先から眺めた、2022年7月の風景。(編集部)

—

7.10(日)

朝のお店番。IさんとAさんにお疲れさまですと伝えて一旦帰宅。自室の裏にある小学校で投票。戦闘服のつもりで可能な限り奇抜な格好で行った。

7.11(月)

楽しい仕事が立て続けて入る。ラジオCM用のジングルを作ってもらえることに。打ち合わせ。昨日、少し考えてみたけれど音のイメージは全然思い浮かばなかった。なので、日記に対して良いなと思っていることや、日記屋として重要にしている感覚はなんだろうと考えてそれを伝えようと思った。

それぞれの人が、それぞれでいること。私とあなたは違ういうこと。それでも同じ星、同じ国、同じ街、同じ部屋でらしていること。それはテンポが合っていないものが複数鳴ているというやり方。またそれぞれの音を西洋がひろめた均律のなかに押し込めるのでなく、12等分した音律とはレた音を同居させること。生活や暮らしとはそういうもの(不和なもの)じゃないかということ。面白がって聞いてもらえた。ストにオンラインショップで売れた書籍を投函。生ぬるい空が肌に当たる。新しくできた焼肉屋、ガラス窓越しに網か上がる煙が見える。いつも海外の方が多く集まっているスンドバー。今日も道にはみ出て談笑してる。人と人の間を通抜けて、鈴虫の声に気づく。パンツ姿でベランダでタバコ吸うお爺さんが見えた。

7.12(火)

休日

7.13(水)

雨。大学の先輩Hさんから「今日お店にいる?」と連絡。一にお昼を食べることに。ボーナストラックはめっきり人がいな駅前では相変わらず平日でも人が多い。マスクをしていな人も増えてきたように思う。もふもふの犬のお尻について歩時々入る、いつも空いている定食屋に向かう。意識して街くと、いつしか思い出というかエピソードみたいなものがでているのに気づく。ここは金川晋吾さんと最初に話した喫店だとか、Sと仕事後に食べた火鍋の看板、メニューをながらどれにする？　とか話していた光景とか、Mと改札で待ち合わせて顔を合わせたときに下北にいる人々の装の話をしたこととか。

さんが「先ほど○○さんにお会いしたんですけど、少し雰気似てますよね」と伝えてくれる。それに答える形で、友人知り合いに「この前似てる人を見たんですよ」みたいな話を分はよくされるんです、という話をする。会話のときは、そが少し嫌なこと（自分には凡庸な特徴しかないんだろうなという悲しなんですという雰囲気で話してしまったけれど、それはとも愛のあることかもしれないと後で思った。誰かを思い出というのは、祈りだと知った。バス停に並ぶ。ギターケース背負っているのに、野球のユニフォームで自転車を漕ぐ少。

.14（木）

昼からあった打ち合わせが、体調不良になった方がいて遽なくなる。それに合わせたお店のロケハンもなくなり出勤なくてよくなった。台風で学校がなくなったときみたいな嬉し。

.15（金）

さんとIさんと新しく出すメニューを味見したりする。このとこの雨が降り出してからずっと眠い。定例。Hさんが気にしてた部分が進み前向きな空気になってよかった。広場を見る雨のカーテンの中、お客さんがまばらに座っている。

本テレビの撮影。テレビクルーとはいいエピソードがない。日は予定から2時間あとに撮影がはじまる。いつものことなで、もう何か思ったりもしない。ピンマイクをTシャツの中にして、パンツの後ろ側にクリップのような構造のもので挟む。れてきたことを気にしていると思ってか、場を和ませようとたのか着ているTシャツのデザインを褒められたり、年齢をかれて「お若いですね」みたいなよくある言葉を交わす。みさん1日ひと通りやってきて疲れているのか、ローなテンショでそれが自分にはちょうどよかった。カメラを向けられて話すのも慣れてきた気がする。

撮影後また打ち合わせを少しして帰る。激しい雨。1966年7月11日のコルトレーンの新宿厚生年金会館でのライブアルバム。コルトレーン最初で最後の来日公演。聴いていて、偶然にもいまから56年前の同じ時期だと気づく。次から次へとアスファルトにぶつかって雨粒の弾ける様子とラシッドアリの粗いドラミングが重なってまばゆい景色にかわる。

7.16（土）

親しい友人に「オネエ出てるよ」と言われて悲しくなったりした。言葉遣いが女性のようであってもいいし、たとえ自分の性自認が女性であったとしても、それを隠す必要もないと思うのでよくわからない言葉だと思った。おそらくいま言ったようなことはわかった上で、男同士のからかいノリみたいな文化なのだろうけれど、そういうものが幼い頃から苦手だったように思う。そこは無視してそれまでの話題を続けた。

雨。土曜だけれどお客さんは少ない。Nさんが来月から就職する職場についてお話する。閉店にかけてだんだんと雨は引いていった。帰ってからこめかみの奥をまち針で刺されるような痛みが続いていて眠れない。本棚に立ててある本を抜き出して、いくつかと決別することにする。

7.17（日）

起きると蝉が力強く鳴いている。久しぶりに晴れて家中のものを片っ端から洗濯機に突っ込んでは干す。この天気ならお客さん多そうだなと思いYさんに後ほどお手伝いに向かいますと連絡。昨夜抜き出した本を抱えてブックオフまで歩く。査定の待ち時間に店内を見て回る。こないだ来たときにこの棚にさしてあって、買うのを迷っていたベース教則本が売れたなとか、この日記本は中古だとこれくらいで売ってるのかみたいなことを思う。本と換えた数百円を受け取ってお店に向かう。

3時間くらいYさんと一緒にお店番をする。休日はゆっくり棚を見てくれるお客さんも多い。歩道側で開いている大きい窓から、向かいの3階建てのアパートに当たる光が赤くなってくるのをカウンターから見る。駅へ向かい、新宿行きの車両に座る。向かいの席に黒いワンピースの女性が座る。マスクをしていない人の表情はよくわかる。口角の上がり具合から気分の良さが伺える。駅から出ると同い年か少し下くらいの方たちがそれぞれ離れた場所で弾き語りをしていた。少し意識して耳だけで聞きながら待ち合わせ場所の方角に歩く。黒い眼帯をした白人男性が片言の日本語(拙い発音だけれど真剣さはものすごく伝わる)で電磁波攻撃について熱弁している。目を合わせるとすごい剣幕で睨まれた。パナウェーブ研究所のことを思い出したりして、そのまま隣を通り過ぎる。

7.18(月)

ビールを少し飲んだりする。空が赤くなってきた頃に駅前に買い出しと支払いに出かける。古着市で賑わう人集りを横切る。この間も見かけたドレッドでハーフパンツだけ履いた男性。大学生のときに付き合っていた人ととても似ている方(本人かどうかわからないまま)ともすれ違った。体が一瞬固まったような感覚になる。小説を売っているおじさんと、中学生くらいの少年が笑顔で話している。新しくできたベンチの並び、すべての椅子に人が座っている。ベンチとベンチの間の芝生部分に腰を下ろしている人もいる。駅は2階部分から下を見下ろせるようになっていて、ぼんやり歩きながらなんとなく見る。

7.19(火)

休日

7.20(水)

6時に起きて朝のお店番。よく晴れている。
面接。ミーティング。ラジオ。22時まで何かと仕事をしていたのでハードデイだった。帰り道、子犬たちが犬のぬいぐるみと一緒にガラスケースに入れられて狭いところを走り回っている。お店にとって犬もぬいぐるみも一緒だという風に見えた。こういった気持ちも自分を勝手に投影した人間主体な感情だとも思う。犬たちをぼーっと眺めるように腰の曲がったお爺さんが立っている。自分がいま何を求めているのかわからなくなるとき、一番疲れを感じる。そういうときはとりあえず湯船に浸かるのいいと過去の自分が言っている。

7.21(木)

旅行の予定を立てる。宿泊予定のホテル近くに古川麦さのライブを先週行っていたパン屋さんがあってとても気にな ている。お店でライブをすることの、ライブハウスとは異な 良さ。音楽をハレの場ではなく、ごく当たり前にある生活 一部として扱いたい。この話を先月くらいにスタッフのYさん も話したのを思い出す。月日でも今後演奏会をひらきたい 計画していて、すでに何人か「そのときは声かけてください と言ってくださっている方がいて嬉しい。

7.22(金)

スタッフのNさんが今日で最後なのでお店に向かう前にお しするお菓子を買いにいく。定例、少し不穏な空気にな 面接。先週お酒を飲みにいったMから疫病に罹患したと 絡がある。発症日からカウントしてギリギリ濃厚接触では かった。できることをしたい。今回の波は自分のすぐそば 迫っているのを感じる。退勤するときにNさんから手紙をい だく。働き方のことなど一緒に話したことを思い出す。「対 と「安心」という言葉が書いてあって嬉しくなる。Sさんを残 て帰る。まだ入ったばかりなので一緒にいてあげられなく 申し訳ない気持ちと、過労働したくないという気持ち(また 社側からの残業代問題との板挟みでもある)。

7.23(土)

カーテンの隙間から差す光を見て二度寝。昨夜の残りを べてお店に向かう。YさんとNさんと来週の店舗貸しにつ ての共有。美容院でのうまくいかなさあるあるの雑談。いく か撮影してオンラインショップの作業。土曜日だけれどお客 んはまばら。今月も暑さで売上が厳しい。買い取った古書 たくさんあったので値札をつけて品出しする。

7.24(日)

正午に起きる。明け方に回していた洗濯物を干して、す 家を出る。バスの中で昨夜送ってもらっていたラジオジング のデモを聞いて思いついたことを送る。お店に着くと月日

ークショップに参加してリトルプレスを作ってくださったSさん
納品のためにいらっしゃっていて少し雑談をする。
しく出すメニューの写真を撮る。感染者数の影響もあるの
、街の人たちの動きが人混みを避けようとしているように
える。ビールを買ってくださった方々が広場で飲んでいて
、も少ないから、おいでよ」と携帯を耳につけて話す声が
こえてきた。鎌倉通りからボーナストラックに入るところの工
していた場所には、草花の生い茂る小道と公園が完成し
いた。

.25(月)

から生ビールを3杯おかわりする英語で話すお客さん、今
はmy lifeのexperienceでso hotと言っていた。お昼の時
になると、いつもお店の前のベンチで手作りお弁当を食べ
いる警備の格好をしたおじさん。この光景の外側にある彼
生活を想像したりする。メールをいくつか返して、来月のシ
トを作成する。一人暮らしをはじめたときに加入したクック
ッドの有料会員が惰性で続いている。それを解約して同じ
段の日記メルマガに加入しようと思う。これだけの日記を読
でいても、また新しい日記を読みたいと思うのすごい。

26(火)

日

27(水)

日

28(木)

店についてIさんと冷凍庫を運んだり、レイアウトを話し合
ながら変えたりする。銀行まで振込に出かける。日傘を忘
て首が焼けそうになる。50%OFFと大きく掲げているブ
ィックから風鈴の音。成城石井から出たワンピースの女性
「暑い!」と言うように顔を歪ませる。新しく出すメニューの
影。

7.29(金)

新しいドリンクメニューの販売をはじめる。エアコンの効いた
室内にご案内してD社営業のOさんと1時間くらいお話する。
暑すぎてお客さんはまばら。Yさんに自分の着ていたTシャツ
が陽の色で水色からエメラルドグリーンに変わったと教えても
らう。Hさんとミーティング。

7.30(土)

朝一でお店番をしているIさんに電話する。新しいメニューの
レシピを共有する。お風呂に入って、バナナにヨーグルトと蜂
蜜、シナモンをかけて食べる。休日。

7.31(日)

googleドキュメントで日記をつけているので、キーワード検索
して面接をしたのは何日だったか探す(メールを送らないといけな
いために面接をした日から今日まで何日経ったか知りたかった)。スタッフ
の日報に「明日から8月」と書いてあって、こんなにずっと暑い
のにまだ8月が来ていないのかと少しの驚きと意識が遠のくの
を感じる。二度目の夏が来るような感覚。*/

日記執筆

くりもと・りょうたろう
「日記屋 月日」店長／「新しい部屋」で文章を書き、演奏しています
room-n.space

—

SHOP DATA

日記屋 月日　にっきや つきひ
日記の専門店。東京・下北沢「BONUS TRACK」内に2020年4月開店。古今東西の日記本や、個人による日記のリトルプレス、zineを取り扱う。併設のコーヒースタンドではコーヒーやビールも提供。日記の魅力を広めていくため、オンラインコミュニティやワークショップ、「日記祭」なども運営している。

所在地：東京都世田谷区代田2-36-12
営業時間：8:00〜19:00(L.O.18:45)
tsukihi.jp

K2 Archives

2022.03–10

K2上映作品一覧

2022.03–10

文化のハブを目指して2022年1月に下北沢に開館したミニシアター、K2。本誌『MAKING』創刊準備号(Issue 00)刊行後から2022年10月時点までのK2での上映作品／特集上映の記録。

上映作品

03/31–08/25	下北沢を生きる ※月1回のみ、最終木曜日にレイトショー
04/01–06/02	愛なのに〈L/R15〉
04/01–04/14	ザ・ユナイテッド・ステイツvs ビリー・ホリデイ
04/08–06/02	猫は逃げた〈L/R15〉
04/08–04/21	この日々が凪いだら
04/15–04/28	三度目の、正直
04/22–05/05	階段の先には踊り場がある
04/29–05/12	愛について語るときにイケダの語ること
04/29–05/12	マイノリティとセックスに関する、 極私的恋愛映画
05/28–06/10	アネット
05/28–06/10	スパークス・ブラザーズ
06/03–06/30	東京オリンピック2017 都営霞ヶ丘アパート
06/03–06/29	リング・ワンダリング
06/03–07/06	マイスモールランド
06/11–06/30	チロンヌプカムイ イオマンテ
06/11–06/23	サウダーヂ
06/17–07/07	わたし達はおとな
06/24–06/30	ばちらぬん+ヨナグ二(2本立て)
06/24–06/30	エキストロ
07/01–07/14	ZAPPA
07/01–07/21	辻占恋慕
07/01–07/21	ウルフなシッシー+ 冥界喫茶ジュバック(2本立て)
07/09–07/14	HANNORA
07/15–08/31	スウィートビターキャンディ
07/22–08/04	あなたの顔の前に
07/22–08/04	イントロダクション
07/29–08/04	あいが、そいで、こい
08/05–08/18	Blue Island 憂鬱之島
08/07–08/28	日曜日とマーメイド
08/12–08/31	ほとぼりメルトサウンズ
08/19–09/29	こちらあみ子
08/19–08/25	ツユクサ
08/19–08/25	Sexual Drive
08/26–08/31	ちょっと思い出しただけ
08/26–08/31	愛ちゃん物語
09/01–09/08	スティールパンの惑星
09/01–09/08	カリプソ・ローズ
09/01–09/08	ブエナ・ビスタ・ソシアル・ クラブ★アディオス
09/01–09/08	ROCKERS
09/02–09/08	名付けようのない踊り
09/02–09/29	神々の山嶺
09/09–09/29	X
09/16–09/29	セイント・フランシス
09/25–09/29	FUNNY
09/30–10/06	ナナメのろうか
09/30–10/13	掘る女 縄文人の落とし物
10/07–	LOVE LIFE
10/07–	サポート・ザ・ガールズ
10/07–	僕が愛したすべての君へ
10/07–	君を愛したひとりの僕へ
10/14–	あの娘は知らない
10/28–11/03	薔薇とサムライ
10/28–11/10	スーパー30　アーナンド先生の教室
10/29–11/10	アザー・ミュージック

主な特集上映

04/08–06/02	今泉力哉監督特集［全13作品］
上映作品	アイネクライネナハトムジーク／ サッドティー／退屈な日々にさようならを

	街の上で／愛がなんだ／知らない、ふたり／his／あの頃。／パンとバスと2度目のハツコイ／mellow／たまの映画／こっぴどい猫
	★下北沢の街に縁が深く、恋愛の機微や会話の妙を描き続けてきた今泉力哉監督の過去13作品を網羅的に上映。期間中は監督や出演者が登壇するティーチインやトークイベントが連日開催され、来場者からの質問や人生相談などで大いに盛り上がった。[→今泉力哉インタビューはp.10]
)7/07–10	下北沢音楽祭[全6作品]
上映作品	Tribe Called Discord: Documentary of GEZAN』／映画:フィッシュマンズ／闘魂:フィッシュマンズ／kocorono／アイデン&ティティ／映画『その男、東京につき』
)7/15–09/01	プールサイドシネマ[全8作品]
上映作品	パーム・スプリングス／フロリダ・プロジェクト／ライフ・ウィズ・ミュージック／アンダーザシルバーレイク／WAVES／君の名前で僕を呼んで／ロシュフォールの恋人たち／アメリカンスリープオーバー
	★遠出のバカンスより近くのボックス(映画館)」。開館以降最初の夏を迎えたK2がセレクトする、避暑感満載の作品を集めた夏休み企画。膨らませた浮き輪を持参するとチケット代が割引になる「うきわ割」などユニークな試みも話題に。
)8/12–08/25	エリック・ロメール特集[全3作品]
上映作品	海辺のポーリーヌ／緑の光線／友だちの恋人／映画『その男、東京につき』
)9/09–10/06	関根光才監督特集[全8作品]
上映作品	ZENON／彼女が夢から覚めるまで／Nighthawks in Bangkok／仕立て屋のサーカス Cut the Fish／Re:Incarnation／生きてるだけで、愛。／太陽の塔／BUNGO
	★映画、広告、MVなどだけでなく、市民プロジェクト「VOICE PROJECT」ほか多様な領域で活躍する映像作家・映画監督、関根光才。本邦初公開となる最新作『ZENON』を含む、音楽や思索に浸れる作品群をスクリーンで一挙に観られる貴重な機会となった。[→関根光才インタビューはp.62]
09/10–25	ムーンアートナイト下北沢連動上映[全2作品]
上映作品	流浪の月／ムーンライト
09/23–24	第14回下北沢映画祭presents新進監督特集[全6プログラム(計8作品)]
上映作品	旧グッゲンハイム邸裏長屋／静謐と夕暮／金允洙監督短編作品集(『白T』『日曜日、凪』『リンゴをかじる女、風を売る男』)／GLIDE／スーパーミキンコリニスタ／アボカドの固さ
	★2009年から下北沢で毎年開催されている、街全体を巻き込んだ「下北沢映画祭」。開催拠点のひとつとして今回から新たに加わったK2では、新進監督による話題の作品を2夜にわたり上映。来場者は"カルチャーの街"の新陳代謝を例年以上に色濃く感じられたのでは。
09/30–	WKW4K[全5作品]
上映作品	恋する惑星／天使の涙／ブエノスアイレス／花様年華／2046
	★ウォン・カーウァイ監督の代表作『花様年華』(2000)の制作20周年を記念し、監督自ら4Kレストアしたうちの珠玉の5作を上映。

Playback

演劇のミニマルな感触を取り戻すための場所

『命、ギガ長ス』2019 ドキュメンタリー&本編上映+トークイベント

(K2での開催:2022年3月12、13日)

Text: Kenta Yamazaki

2022年3月12日(土)と13日(日)の2日間、『命、ギガ長ス』2019ドキュメンタリー&本編上映+トークイベントがシモキタ-エキマエ-シネマ・K2で行われた。

『命、ギガ長ス』は松尾スズキが自ら企画・プロデュースし、「東京成人演劇部」という新たなユニットを立ち上げて2019年に上演した演劇作品。引きこもっている子とそれを支える親が長い年月を経てともに高齢化し、収入や介護などの問題が生じてくるいわゆる「8050問題」を扱った作品で、初演では認知症の母とアル中のニート息子、そして二人を取材するドキュメンタリー作家とそのゼミの教授の4役を安藤玉恵と松尾スズキが二人芝居で演じた。

初演から2年半を経た2022年3月・4月、同作は新たなキャストを迎え、東京成人演劇部 vol.2『命、ギガ長スW』として再演されることになった。K2でのイベントは下北沢の劇場ザ・スズナリで同作の東京公演が行われている最中のことであり、この2日間の下北沢では初演の創作過程を映したWOWOWオリジナル・ドキュメンタリー「ノンフィクションW　松尾スズキ　人生、まだ途中也」と初演の記録映像、そして再演の舞台と関係者(松尾スズキ、ドキュメンタリーのプロデューサーの菅原直太、坂井真紀、安藤玉恵)によるトークが同時に楽しめたことになる。一連のイベントは演劇の街・下北沢ならではの、そして下北沢の映画館ならではの、演劇の楽しみ方を拡張するようなものになっていた。

かつての「すごろく」と現在

『命、ギガ長ス』の初演に松尾は次のような言葉を寄せている。「思いかえせば、学生演劇をやっていた頃が一番楽しかったのではないか?」「演劇を再び、楽しみたい」。近年の松尾スズキ作品の多くはBunkamuraシアターコクー(総席数747席)や本多劇場(総席数386席)などで上演されおり(松尾は2016年には蜷川幸雄の後を継いでシアターコクーンの術監督にも就任している)、劇場の規模に応じて出演者の数もそれなりの人数になっていることが多い。それと比すると席数約200席のザ・スズナリでの二人芝居というイズ感はまさに松尾にとっての演劇の原点を志向してのものだったと言えるだろう。ドキュメンタリーには松尾が自らがけた舞台美術にペンキを塗る姿も写し出されてお『命、ギガ長ス』の初演が「演劇部」の名を冠するにふさしい手づくり感に溢れる公演だったことがわかる。

かつて、公演の規模を大きくしていくことが小劇場で活するほとんどの劇団の目標であった頃、劇団が人気を獲し公演会場をだんだんと大きくしていくさまを指して「小劇すごろく」と呼んでいたことがあった。すごろくの「目」は特の劇場を指していたわけではないが、大小さまざまなサズの劇場がある下北沢では街の中だけで完結する「すごく」を実現することも可能だ。

だが、小劇場すごろくという言葉は聞かれなくなって久し2022年の現在において演劇はより多様化し、必ずしもきな劇場での上演を志向する劇団ばかりではなくなったらだ。それでも、演劇の街・下北沢において本多劇場「あがりの目」、つまりは最大規模の劇場であることに変はない。今も本多劇場で公演を打つことを目標としている団は多いだろう。

実際問題、本多劇場で継続的に公演を打てるか、それもザ・スズナリに留まるかというのは、側から見ていても業的な演劇(=ビジネス)としてやっていけるかどうかのひとの分水嶺になっているように思える。収入面のみならず営面においてもそれは同様だ。本多劇場の規模になるとなりの人数の手を借りなければ公演は成り立たない。一人数が増えれば増えるほどひとりの関わりの割合は小さくり、全体としての演劇公演に触れているという実感は遠のだからこそ松尾はザ・スズナリでの上演を選んだ。スケーの大きな作品が実現できる大きな劇場と密度の高い空間魅力の小劇場。観客に好みがあり、劇場によってそれぞの魅力があるように、作り手にも公演の規模によって異な喜びがある。東京成人演劇部は松尾が何物にも変え難それを取り戻し確認するための試みだったのだろう。

劇と映像とスクリーンと

ュメンタリー「ノンフィクションW　松尾スズキ　人生、ま
途中也」には、そんな「手づくり」の公演ゆえの苦労と喜
とが刻み込まれている。企画・プロデュースから作・演出、
には出演に舞台美術まで担った松尾が大変なのは言う
でもないが、その松尾の二人芝居の相手役を務める安
の苦労もひとしおだ。あまりに多くの仕事を背負い込んだ
尾と稽古場で対峙するのは安藤ひとりきりなのだから。
もそも松尾のクリエイションの過程がこのように映像とし
長期に渡り記録され公開されること自体が初めてのこと
あり、その意味でこれは、松尾ファンのみならず全演劇
係者にとっても必見のドキュメンタリーだ。観客は稽古の
労、ようやくの本番、続くツアー公演、そして台湾公演
公尾に伴走していく。台湾公演では終演後に劇場を出て
観客へのインタビューも行われ、感想を語る観客の表
や口調からも伝わる熱意が公演の成功を物語っていた。

コナ禍以降、演劇の世界でも映像配信がひとつの選択
としてスタンダードになり、並行して記録映像のアーカイ
への意識も高まりつつある。舞台の映像は映画などと比
て権利関係の処理が煩雑なため、映像があっても死蔵
てしまう(=表に出せない)ことも多いのだが、EPAD(緊急
台芸術アーカイブ+デジタルシアター化支援事業)のように業界全
として映像の保存と公開を推進する動きも出てきている。
回の『命、ギガ長ス』イベントがユニークだったのは、初
の記録映像のみならずその制作過程を捉えたドキュメン
ーが併映され、同時にすぐそこの劇場では新たなキャ
での再演が行われていたという点だろう。制作過程とそ
結果としての初演(の映像)を合わせて観ることで、観客
作品がどのように変化していったのかを知ることができる。
演を合わせて観ればキャストの違いによる変化も楽しめ
だろう。
尾が演出に専念した再演版『命、ギガ長スW』は宮藤
九郎×安藤玉恵の「ギガ組」と三宅弘城×ともさかりえの
ス組」のダブルキャストで上演(しかも実は再演版では刊行さ
ている初演版戯曲からラストが書き換えられてもいる)。筆者はギ
組を観たのだが、松尾と宮藤の違いによってニート息子
教授のキャラクターが相当に違って見えたのはもちろん、
人の違いを受けての安藤の芝居の変化にも目を見張ら
された。このような比較が可能だったのも、再演を観る直前に初演の記録映像を観ていたからなのは言うまでもないだろう。
近年では下北沢トリウッドでも上田誠／ヨーロッパ企画や三浦直之／ロロ、山内ケンジ／城山羊の会の特集上映が組まれるなど、スクリーンを通して演劇に触れる機会が増えている。K2での『命、ギガ長ス』イベントは作家や劇団の特集上映ではなく、ひとつの作品に焦点をあてたイベントだったという点でユニークかつ、もしかしたら些かマニアックなものだったかもしれないが(なんせひとつの作品に関する上映とトークだけで4時間半の大ボリュームイベントだ)、それによって新しい演劇の楽しみ方を提供することに成功していた(もちろん、70席の映画館で豪華ゲストのトークを聞くことのプレミアム感も抜きにしては語れない)。演劇を映像で記録することが容易になった現在において、演劇とスクリーンの関係にはまだまだ開拓の余地がありそうだ。*/

—

Event Data

『命、ギガ長ス』2019 ドキュメンタリー&
本編上映+トークイベント

開催日時：2022年3月12日(土)〜13日(日)
各日12:00〜／17:00〜
トークゲスト：松尾スズキ、菅原直太(Spoon. プロデューサー)、
坂井真紀、安藤玉恵

上映作品(2本)
・『命、ギガ長ス』(2019／ザ・スズナリでの上演映像)
・WOWOWオリジナル・ドキュメンタリー
「ノンフィクションW　松尾スズキ　人生、まだ途中也」
(2019／出演：松尾スズキ、安藤玉恵／ナレーション：多部未華子)

Postscript

Web空間で盛んに議論が行われるようになって久しい。
論をするつもりではなかった個人的つぶやきも議論を呼
ことすらある。つねに武装を必要とする言論空間が日常
なった今、「誰に向けられるわけでもない言葉」が持つ
密さの重要度はましているように思う。自分の書いた水曜
についての話が世界の見知らぬ誰かに届けられ、自分
もまた誰かの水曜日の物語が届くアートプロジェクト「水曜
郵便局」が数年間にわたり熊本、宮城と場所を移して
続され、閉局を迎えた今もなおファンが多いのもその証
ではないか。
今号のMAKINGは「その場所からの独白」をテーマ
さまざまな作品における「独白」が発されるまでの過程、
してその場所に目を向けた。そのインタビュー自体も「独白
であり、その行為が生む「振り返っている」というライブ感
本というスタティックな媒体だからこそ表現できるものであ
ように感じる。“前に進む”ことをリアルタイムで届ける手
が発展し続ける今、手紙そして本に代表される紙という
体がもつ“振り返る”ことをリアルに伝える力を一層実感
た。（大高）

—

今回取材した方のひとりはあるエピソードについて「（聞き
との）距離が近くないからこそ話してしまった」と後日ぽろっ
こぼしていた。インタビューといういささか特殊な文脈下
遠投のようにして話されたそれぞれの内容と、その背後
ある痛切さのようなものがわずかでも紙上に残せていた
いいと思う。
プロトタイプ版を経ての『MAKING』最初の一冊目、ご
力いただいた方々、さまざまな無茶を聞いてくださった方
に心から感謝します。（後藤）

原航平(はら・こうへい)

→P.10–23

1995年兵庫県生まれ。ライター・編集。執筆媒体は『クイック・ジャパン』『BRUTUS』『メンズノンノ』『リアルサウンド映画部』『キネマ旬報』など。11月20日の文学フリマ東京で自費出版の映画音楽文化系ZINE『VACANCES』を発売、今泉力哉監督の書き下ろし短編小説も掲載します。

山﨑健太(やまざき・けんた)

→P.24–41 ／ 92–93

1983年生まれ。批評家／ドラマトゥルク。演劇批評誌『紙背』編集長。2019年より演出家・俳優の橋本清とのユニット「y/n」として、リサーチとドキュメンタリー的手法に基づき私的な領域の事柄を社会構造の中で思考するパフォーマンス作品の発表も行う。Webマガジンartscapeで舞台芸術を中心としたレビューを連載中。

広岡ジョーキ(ひろおか・じょーき)

→P.42–59

リトルプレスの編集・デザイン、および文芸翻訳業(韓日)。「サウナ×人」を掘り下げるインタビューZINE『トトノイ人』編集発行人。訳書にファン・モガ『モーメント・アーケード』(クオン)、『透明ランナー』(Kindle)。オープンダイアローグ・ネットワーク・ジャパン正会員。

折田侑駿(おりた・ゆうしゅん)

→P.60–71

1990年生まれ。映画、演劇、文学、マンガ、服飾、酒場など、さまざまなカルチャーに関する批評やコラムを各種メディアに寄稿。また、それぞれのカルチャーと密接な結びつきを持つ「街」の魅力や変化を観察・考察した記事も執筆する。映画の劇場パンフレットにも多数寄稿している。

MAKING
Issue 01

独白の座標

The starting coordinates of a monologue

発行日：2022年11月1日

発行元：Incline LLP

発行人：大高健志

企画／編集：後藤知佳（UMISHIBAURA）

アートディレクション／デザイン：八木幣二郎

インタビュー／テキスト：

原航平、山﨑健太、

広岡ジョーキ、折田侑駿

翻訳協力：江幡京子

印刷：藤原印刷株式会社

製本：株式会社望月製本

Printed in Japan

Limited edition of 1000 copies

—

本書は映画館「K2」を運営するIncline LLPが発行しています